Denis Lapointe

# BIEN ACHETER SA MAISON

CARTE **BLANCHE**

## Avertissement

Cet ouvrage a été rédigé à partir d'informations provenant de sources sûres. Toutefois, les informations contenues dans ce guide ne devraient pas être considérées comme des conseils d'ordre juridique, fiscal ou professionnel. Tout utilisateur des renseignements contenus dans cet ouvrage devrait consulter un conseiller juridique ou fiscal avant d'entreprendre toute action à la suite de la lecture de ce guide.

Les éditions Carte blanche
1209, avenue Bernard Ouest
Bureau 200
Outremont (Québec)
H2V 1V7
Téléphone : (514) 276-1298
Télécopieur : (514) 276-1349
carteblanche@videotron.ca
www.carteblanche.qc.ca

Diffusion au Canada :
FIDES
Téléphone : (514) 745-4290
Télécopieur : (514) 745-4299

Distribution au Canada :
SOCADIS : (514) 331-3300


Dépôt légal : 1er trimestre 2006
Bibliothèque nationale du Québec
ISBN 2-922291-062-0

## AVANT-PROPOS

Vous vous apprêtez à réaliser l'investissement le plus important de votre vie : l'achat d'une propriété. Les sommes en jeu sont considérables et vous ne voulez surtout pas rater votre coup !

Vous avez pris la bonne décision, celle de bien vous informer avant de vous lancer dans l'aventure. Cela vous permettra certainement de passer au travers les nombreuses étapes de l'achat d'une propriété avec sérénité.

L'achat pour un prix juste, le financement hypothécaire aux meilleures conditions, le choix d'une propriété en bon état, voilà autant de sujets qui seront abordés dans ce guide, qui se veut essentiellement pratique et à la portée de tous.

Comme vous serez en mesure de le constater, nous vous recommandons fortement de bien vous informer avant d'entreprendre vos démarches et de vous entourer d'une équipe de conseillers et professionnels compétents. Vous éviterez ainsi de prendre des décisions sous le coup des émotions, ce qui se produit malheureusement trop souvent lors de l'achat d'une propriété.

Nous souhaitons que la lecture de ce guide vous fournira tous les outils dont vous avez besoin pour faire de l'achat de votre maison une expérience heureuse.

## REMERCIEMENTS

Je tiens à remercier sincèrement tous ceux qui, de près ou de loin, ont participé à la réalisation de cet ouvrage.

Je voudrais particulièrement souligner à cet égard l'apport de Michel Rudel-Tessier et d'Hélène Rudel-Tessier des Éditions Carte blanche qui, depuis mes débuts dans le monde de l'écriture, se chargent de donner une facture des plus dynamiques à ces notes manuscrites que je leur remets de temps à autre. De plus, j'ai pu compter sur la participation de deux notaires qui ont consacré une grande partie de leur carrière à exécuter des transactions immobilières et à conseiller leurs clients en la matière. Il s'agit de Me Jean Valiquette et Me Jocelyn Langlois, pratiquant tous deux dans la région de Montréal, qui ont su enrichir ce texte par leurs judicieux commentaires et qui m'ont permis de valider le contenu juridique de cet ouvrage. Je leur en suis grandement reconnaissant.

# TABLE DES MATIÈRES

## CAPACITÉ FINANCIÈRE

Faire l'acquisition d'une propriété immobilière peut s'avérer une expérience fort gratifiante. Dans certains cas, cependant, il semble que ce soit le contraire qui se produise : certains acheteurs d'une première maison vivent plutôt une détérioration de leur qualité de vie. Les manchettes des journaux nous apprenaient récemment que certains d'entre eux devaient même fréquenter des banques alimentaires pour arriver à régler leurs paiements hypothécaires. Pourtant tous visaient le même objectif : se procurer une meilleure qualité de vie, améliorer leur sort sur le plan financier et sécuriser leur avenir. Que s'est-il donc passé pour que le rêve tourne au cauchemar ?

**Impulsifs s'abstenir !**

On n'achète pas une maison comme un ordinateur, un téléviseur ou une automobile. Les sommes en jeu devraient dicter une approche bien différente. Pourtant, il semble que beaucoup d'achats de propriété se réalisent de manière impulsive après une période de « magasinage » bien courte. Certains vont passer un temps fou à scruter les circulaires de rabais et à visiter plusieurs magasins avant de se porter acquéreurs d'un simple ordinateur de quelques milliers de dollars alors qu'ils vont s'impatienter après avoir visité deux ou trois maisons à vendre. L'achat « le plus important d'une vie » mérite pourtant qu'on y consacre toute l'énergie requise si l'on veut garder un souvenir agréable de l'expérience.

Ce premier chapitre est justement entièrement consacré aux préparatifs par lesquels tout acheteur devrait passer pour être en mesure de choisir sa maison et de finaliser son acquisition avec succès. Nous étudierons dans un premier temps les outils d'analyse devant nous permettre de bien connaître nos moyens financiers et d'identifier en conséquence les sommes d'argent qui seront investies dans l'achat. Nous devons également avoir une bonne idée de nos capacités d'emprunt et nous assurer que les sommes consacrées aux dépenses en habitation ne viendront pas compromettre notre équilibre financier. Il ne faudrait pas non plus que notre équilibre psychologique soit mis en péril parce que nous sommes devenus propriétaires. Les loisirs, les vacances et les petites gâteries ont un effet bénéfique sur notre santé et notre qualité de vie. Il est donc souhaitable d'éviter à tout prix que la maison de nos rêves devienne en quelque sorte une prison qui nous prive des autres plaisirs de la vie, pire : qu'elle nous place en position de vulnérabilité sur le plan financier.

## Le bilan

La première étape consiste à dresser un bilan de ses actifs et de ses passifs. D'un côté on retrouvera les épargnes, REÉR et autres actifs, de l'autre les comptes à payer, dettes personnelles, prêts auto et soldes de cartes de crédit. La différence entre les deux représente l'avoir net.

Nous nous attarderons surtout à ce moment-ci aux actifs qui peuvent être utilisés pour procéder à l'achat de la propriété. Ce seront habituellement des soldes bancaires ou des placements divers facilement convertissables en liquidités.

En fait, il nous faut déterminer, à partir du bilan, quelle sera la mise de fonds qui nous permettra de réaliser un achat. Idéalement, cette dernière devrait être d'au moins 25 % du coût de la propriété afin d'éviter de devoir assumer les frais d'une assurance hypothécaire. Comme on le verra plus en détail au chapitre sur le financement hypothécaire, les institutions financières prêtent en général, lorsque le crédit personnel de l'emprunteur est acceptable, une somme d'argent pouvant aller jusqu'à 75 % du moindre du coût d'achat ou de la valeur marchande de la propriété. Au-delà de ce ratio, il faudra songer à un prêt dit « assuré » auprès d'un assureur hypothécaire, ce qui entraîne des charges additionnelles. L'assureur peut garantir à une institution financière le remboursement d'un prêt hypothécaire pouvant représenter jusqu'à 95 % de la valeur d'emprunt d'une propriété.

Dans le cas où le crédit de l'emprunteur est excellent, on peut envisager un achat sans mise de fonds. En fait, le 5 % minimum requis est alors versé par le prêteur hypothécaire en échange d'un engagement à long terme de la part de l'acheteur. Ces prêts sont habituellement réservés aux achats de propriétés unifamiliales devant servir de résidences principales et ne sont offerts qu'à ceux qui disposent de revenus réguliers et qui ont d'excellents antécédents en matière de remboursement de dettes. Bien que des prêteurs puissent accepter ainsi de favoriser l'achat de propriétés à ceux qui n'ont pas les liquidités suffisantes pour fournir la mise de fonds normale, il s'en trouve plusieurs à se questionner sur la valeur de cette offre. On se demande à bon droit si les créanciers servent ainsi le meilleur intérêt des clients concernés. Peu importe la réponse à cette interrogation, une chose est sûre, plus la mise de fonds est importante, plus la marge de sécurité est appréciable, surtout pour les acheteurs qui disposent de ressources financières limitées.

### Ratios à respecter

Tous les prêteurs ainsi que les assureurs hypothécaires procèdent au calcul des ratios suivants pour qualifier les emprunteurs.

**Coefficient d'amortissement brut de la dette (ratio ABD)** : ce ratio permet d'identifier la proportion du revenu brut de votre ménage qui doit être consacrée aux frais liés à l'habitation. Le total des remboursements hypothécaires, des taxes foncières et frais d'électricité et de chauffage auxquels peuvent s'ajouter, s'il y a lieu, la moitié des charges de la copropriété ne devraient pas dépasser, selon la règle établie, plus de 32 % du revenu brut du ménage.

Exemple :
Prenons le cas d'un couple dont les revenus bruts familiaux s'élèvent à 84 000 $ et qui envisage l'achat d'une unifamiliale d'environ 250 000 $ avec une hypothèque de 200 000 $ amortie sur 25 ans à un taux de 6 % l'an. Les taxes municipales et scolaires sont estimées à 3 600 $ par année et les frais d'électricité et de chauffage à 2 400 $ par année. Calculons le ratio ABD.

Frais reliés à la maison :

| | |
|---|---|
| Paiements hypothécaires (voir le tableau à la fin de l'ouvrage) : | 1 280 $ |
| Taxes foncières : | 300 $ |

| | | |
|---|---|---|
| Électricité et chauffage : | | 200 $ |
| | Total | 1 780 $ |

Revenus bruts mensuels : 7 000 $
Ratio ABD : 25,43 %

**Coefficient d'amortissement total de la dette (ratio ATD)** : ce ratio s'intéresse au poids de toutes vos dettes (prêts hypothécaires, prêts personnels, prêts auto et soldes de cartes de crédit) par rapport à votre revenu brut. L'ensemble de ces charges ne devrait pas dépasser 40 % de votre revenu brut.

Exemple :
Reprenons le cas précédent en ajoutant les dettes suivantes :

| | | |
|---|---|---|
| Paiements minimums sur marge de crédit : | | 300 $ |
| Paiements mensuels sur prêt automobile : | | 500 $ |
| | Total | 800 $ |
| Frais reliés à la maison : | | 1 780 $ |
| | | 2 580 $ |

Revenus bruts mensuels : 7 000 $
Ratio ATD : 36,86 %

**À NOTER** : Pour plus de sécurité, on devrait ajouter aux paiements mensuels les autres charges fixes qui constituent des obligations de paiements telles que les frais de garde.

Si vous ne pouvez passer ces deux tests avec succès, il y a de fortes chances que vous ayez de la difficulté à financer votre achat à des conditions favorables. Seules des circonstances atténuantes particulières pourraient permettre à un prêteur d'outrepasser ces normes.

## Capacité d'emprunt à déterminer

Avant d'entreprendre vos recherches vous devriez généralement faire appel à un courtier en prêt hypothécaire qui se fera un plaisir de déterminer avec vous votre capacité d'emprunt. Ses services sont habituellement gratuits, car il est rémunéré par les différents prêteurs avec lesquels il fait des affaires. Après avoir effectué certains calculs, le courtier hypothécaire devrait pouvoir négocier pour vous une hypothèque préapprouvée, ce qui vous permettra de connaître, avant d'aller plus avant dans vos recherches, le montant maximum que vous pouvez emprunter ainsi que les conditions d'emprunt que le marché hypothécaire sera en mesure de vous offrir. Si vous le préférez, vous pourrez également vous adresser directement à un conseiller en prêts hypothécaires d'une institution financière qui pourra exécuter ce travail pour vous.

Fort de cette attestation de crédit, vous vous éviterez parfois bien des déceptions en sachant exactement dans quelle fourchette de prix vous devriez concentrer vos recherches.

## Frais liés à l'achat

Outre la mise de fonds qui représente la partie de vos économies qui devra être consacrée à l'achat, il y a lieu de prévoir à l'avance les frais liés à l'acquisition d'une maison parce que ces derniers peuvent représenter des sommes appréciables, se chiffrant habituellement dans les milliers de dollars.

### *Frais d'évaluation*

Les prêteurs hypothécaires exigeront généralement une évaluation professionnelle de la valeur marchande de la propriété que vous convoitez. Préparée par un évaluateur agréé dont la fonction est de fournir une appréciation impartiale de la valeur d'un immeuble, le rapport d'évaluation peut coûter entre 300 $ et 500 $ pour une propriété unifamiliale en milieu urbain. Ces frais sont généralement absorbés par le créancier hypothécaire qui financera l'achat.

### *Frais d'inspection*

Pratiquement incontournable dans le cas de l'achat d'une propriété ayant un certain âge, il vous faudra prévoir encore une fois une somme de 300 $ à 500 $.

### *Assurance-hypothèque*

Dans le cas des prêts à ratio prêt/valeur élevé, vous devrez assumer les frais de l'assurance-hypothécaire. Sachez par ailleurs qu'il vous est permis d'amortir le coût de cette charge sur la durée de vie de l'hypothèque. En fait, le prêteur paiera ces frais pour vous et en ajoutera le coût à votre charge hypothécaire, à moins que vous ne préfériez les acquitter au moment de la conclusion du prêt, ce que nous ne pouvons vous déconseiller, évidemment. Pour une estimation des coûts, une petite visite du site web de la Société canadienne d'hypothèques et de logement (SCHL) devrait vous être d'une aide précieuse.

Par ailleurs, ne confondez jamais l'assurance-hypothèque et l'assurance-vie hypothécaire. La première ne sert qu'à protéger le prêteur pour le cas où vous feriez défaut de vous acquitter de vos obligations alors que la seconde assurera à vos héritiers que votre hypothèque sera payée, en totalité ou en partie, au moment de votre décès.

### *Certificat de localisation*

Généralement assumés par le vendeur, à moins de convention contraire à l'offre d'achat, les coûts de préparation d'un certificat de localisation varient généralement de 450 $ à 600 $. Assurez-vous toutefois que l'offre d'achat contient une clause à l'effet qu'il relève de la responsabilité du vendeur de vous fournir à ses frais un tel certificat montrant l'état actuel de l'immeuble.

### *Frais de notaire*

À l'exception des frais de quittance d'une hypothèque à radier, les frais liés à la conclusion d'une hypothèque et d'un acte de vente sont à la charge de l'acheteur. Selon la valeur de la propriété ainsi que la complexité du travail à exécuter, les frais de notaire peuvent varier considérablement. En général toutefois, un budget d'environ 1 500 $ à 2 000 $ devrait suffire pour la majorité des transactions.

### *Droit de mutation*

Communément appelée « taxe de bienvenue », cette charge, payable dans les mois suivant la signature du contrat d'achat, est imposée par les municipalités lors des transferts de propriétés. Elle est basée sur le montant le plus élevé entre l'évaluation uniformisée de l'immeuble et le prix payé. Le taux applicable se calcule comme suit :

- sur les premiers 50 000 $ 0,5 %
- sur l'excédent de 50 000 $ jusqu'à 250 000 $ 1 %
- sur l'excédent de 250 000 $ 1,5 %

Exemples de calcul :

| Montant taxable | Taux applicables | Droits payables |
|---|---|---|
| 100 000 $ | 50 000 $ à 0,5 % | 250 $ |
| | 50 000 $ à 1 % | 500 $ |
| | Total | 750 $ |
| 330 000 $ | 50 000 $ à 0,5 % | 250 $ |
| | 200 000 $ à 1 % | 2 000 $ |
| | 80 000 $ à 1,5 % | 1 200 $ |
| | Total | 3 450 $ |

Certains transferts sont toutefois exemptés de droits de mutation. Ainsi, lorsque le prix de vente est inférieur à 5 000 $ ou lorsque le transfert est réalisé en faveur du conjoint ou d'un membre de la famille au premier degré (père, mère, enfant) ou en faveur d'une société commerciale dont plus de 90 % des parts appartiennent au cédant (ou l'inverse), il n'y a pas de droits de mutation à payer. Cependant, il peut tout de même y avoir des droits supplétifs d'un maximum de 200 $ à payer dans certaines municipalités.

### *Répartitions*

Le transfert de propriété donne lieu à certaines répartitions entre les parties contractantes au niveau du partage des frais payés d'avance par le vendeur ou en souffrance au moment de la transaction. Ainsi, les taxes municipales, payables bien souvent en deux versements, en mars et juin, couvrent toute l'année civile. Quant aux taxes scolaires, qui, elles, couvrent la période du 1er juillet d'une année au 1er juillet de l'année suivante, elles sont habituellement payables en un seul versement. Selon la date de conclusion de l'acte de vente ou de la prise de possession du bien et du paiement de ces charges foncières, il devra y avoir un remboursement d'une partie à l'autre en fonction des périodes écoulées. D'autres répartitions peuvent également être requises lorsqu'il s'agit d'une propriété avec revenus et que certains loyers ont déjà été perçus. Il en va de même du contenu du réservoir de mazout qui doit normalement être remboursé par l'acheteur au vendeur au moment de la conclusion de la transaction.

### *TPS et TVQ*

L'achat d'une résidence unifamiliale neuve ou d'un logement en copropriété nouvellement construit de même que la construction d'une nouvelle habitation ou l'exécution de rénovations majeures donnent lieu au paiement des taxes à la consommation, TPS et TVQ. On peut toutefois réclamer un remboursement de 36 % des taxes payées si on respecte certaines conditions. Notamment : l'habitation doit constituer votre résidence principale ou celle d'un proche et la juste valeur marchande de la propriété doit être inférieure à 450 000 $ pour la TPS et à 225 000 $ pour la TVQ.

### *Assurances habitation*

Vous devrez assurer votre propriété contre les sinistres usuels (feu, vol, responsabilité civile) et acquitter la prime ou du moins une partie de cette dernière au moment de la passation des titres.

•••

Voilà donc pour les frais incontournables engendrés par l'achat d'une propriété. Il y a lieu de bien les évaluer, car la majorité d'entre eux ne peuvent être reportés dans le temps. Ils doivent être assumés au moment de la conclusion de la transaction.

N'oubliez pas également de prévoir les frais de déménagement, de raccordement aux services publics (électricité, téléphone, etc.), les frais d'aménagement et de décoration ainsi que l'achat de meubles, électroménagers et autre équipement (tondeuse, souffleuse, etc.), s'il y a lieu.

## Coûts de détention

Vos obligations financières ne se limitent pas à défrayer les coûts liés au processus d'achat de la propriété mais sont intimement liées au fait de détenir un bien immobilier. C'est ici qu'entre en jeu la planification budgétaire qui vous permettra de garder le contrôle sur vos dépenses prévisibles et imprévisibles. Tout doit être soigneusement étudié pour que l'achat de votre propriété ne vienne pas troubler votre équilibre psychologique et budgétaire. Voici donc une grille d'analyse qui devrait vous permettre d'ajuster vos dépenses en fonction de votre nouvelle situation.

## Relevé de dépenses

| | Mensuelles | Annuelles |
|---|---|---|
| ***Dépenses fixes*** | | |
| Assurances auto | | |
| Assurances de personnes (vie, invalidité, etc.) | | |
| Services : | | |
| • téléphone, internet | | |
| • câble, canaux spécialisés | | |
| • électricité | | |
| ***Dépenses variables*** | | |
| Épicerie | | |
| Restaurants | | |
| Vêtements | | |
| Soins personnels (coiffure, esthétique, etc.) | | |
| Ameublement | | |
| Buanderie, nettoyage | | |
| Soins dentaires, de la vue | | |
| Soins médicaux non assurés | | |
| Frais de scolarité | | |
| Frais de garderie | | |
| Tabac, alcool | | |
| Transport : | | |
| • essence | | |
| • entretien et réparations | | |
| • immatriculation et permis | | |
| • prêt auto ou location | | |
| • transports publics | | |
| Vacances | | |
| Abonnements et souscriptions | | |
| Sorties, loisirs | | |
| Sports, cours | | |

| | | |
|---|---|---|
| Loterie(s), journaux, revues | | |
| Cadeaux | | |
| Dons de charité | | |
| Animaux | | |
| Divers | | |
| Total des dépenses | | |

| Prévisions budgétaires | |
|---|---|
| Revenus mensuels nets : | |
| Moins : | |
| • total des dépenses mensuelles | |
| • épargne systématique (REÉR, placements) | |
| Montant mensuel disponible pour les dépenses liées au logement | |

| Dépenses liées au logement : | Mensuelles | Annuelles |
|---|---|---|
| • assurances habitation | | |
| • taxes foncières | | |
| • chauffage | | |
| • entretien et réparations | | |
| • remboursements hypothécaires | | |
| • frais de copropriété, s'il y a lieu | | |
| • système d'alarme, s'il y a lieu | | |
| Total : | | |

## Un cas type

La planification d'une transaction d'achat d'une propriété requiert une bonne dose de discipline et peut-être quelques heures de travail. Toutefois, cet exercice peut faire toute la différence entre une transaction réussie et un véritable cauchemar. Afin de vous permettre de bien comprendre comment s'articulent les différentes analyses que vous devrez réaliser avant de vous lancer à la recherche de votre propriété, voyez le cas type suivant.

Robert et Andréanne veulent procéder à l'achat de leur première maison au cours des prochains mois. Robert est informaticien et gagne environ 80 000 $ brut par année. Après impôt et déductions diverses, ses revenus nets s'établissent à 52 000 $. Son emploi est stable puisqu'il est au service du même employeur depuis six ans. Andréanne occupe le même emploi depuis trois ans. Elle est assistante-comptable et gagne 40 000 $ brut (33 000 $ net selon son dernier avis de cotisation fédéral). Robert dispose d'environ 60 000 $ d'économies qui seraient disponibles pour l'achat de la propriété. Ils n'ont aucune dette et évaluent les dépenses liées à leur train de vie (à l'exclusion des dépenses de loyer) à 33 000 $ par année. Robert contribue à son REÉR au moyen de prélèvements bancaires de 1 000 $ par mois alors qu'Andréanne se voit contrainte de n'épargner à ce chapitre que 400 $ par mois. Ils souhaitent s'établir en banlieue de Montréal et y acheter une résidence unifamiliale déjà existante. Lors d'une promenade récente à Laval, ils y ont vu une très belle maison à vendre dont le prix affiché s'établissait à 285 000 $. Ils se demandent s'ils ont les moyens de s'en porter acquéreurs.

Ils ont visité le site web d'un courtier hypothécaire et ont pu constater qu'ils pourraient avoir une hypothèque fermée pour un terme de cinq ans, ce qui ferait leur affaire, car s'agissant de leur première maison, ils préfèrent pour les cinq prochaines années s'assurer une tranquillité d'esprit. Selon les tables d'amortissement, les paiements mensuels seraient de 7,12 $ par tranche de 1 000 $ s'ils optent pour une hypothèque de 20 ans ou de 6,40 $ pour une période d'amortissement de 25 ans. Selon les informations recueillies auprès du vendeur, le taux de taxation est de 2,20 $ du 100 $ d'évaluation pour les taxes foncières, ce qui représente environ 6 300 $ par année, et les frais de chauffage tournent autour de 1 500 $ par année.

Dans le but de ne pas s'exposer à des risques indus, Robert et Andréanne ont convenu de n'investir comme mise de fonds que 24 000 $. En effet, ils souhaitent d'abord conserver environ 20 000 $ comme fonds de prévoyance pour pallier aux imprévus. De plus, ils prévoient des frais d'achat d'environ 10 000 $ qu'ils ont estimé comme suit :

| | |
|---|---:|
| • frais d'évaluation | 350 $ |
| • frais d'inspection | 350 $ |
| • taxes de 9 % sur l'assurance-hypothèque | 646 $ |
| • frais de notaire | 1 500 $ |
| • droit de mutation | 2 775 $ |
| • assurance habitation | 800 $ |
| • ajustements | 3 000 $ |
| Total | 9 421 $ |

Le solde de leurs économies non utilisées, environ 6 000 $, sera facilement dépensé pour les frais de déménagement et de réaménagement ainsi que pour l'achat de quelques électroménagers.

Mettons maintenant à profit les notions vues précédemment :

1. Ratio ABD : Robert et Andréanne ont besoin de 261 000 $ pour réaliser leur achat. Il s'agit donc d'un prêt non conventionnel qui devra être assuré. Le montant de l'emprunt représentant plus de 90 % de la valeur de la propriété, les frais d'assurance devraient s'établir à 7 177,50 $, soit 2,75 % de 261 000 $ auxquels il faudra évidemment ajouter la taxe usuelle de 9 % (646 $). Cette dernière sera payée au moment de la conclusion du prêt et les coûts d'assurance seront ajoutés à la valeur initiale du montant emprunté, ce qui portera ce dernier à 268 177,50 $. Les paiements hypothécaires amortis sur une période 20 ans s'élèveront donc à 1 909,42 $ par mois (268 177,50 x 7,12 $).

Frais liés à l'habitation :

| | |
|---|---|
| remboursements hypothécaires : | 22 913 $/an |
| taxes foncières : | 6 300 $/an |
| chauffage et électricité : | 1 500 $/an |
| | 30 713 $/an |

Ratio ABD : $\frac{30\ 713\ \$}{120\ 000\ \$} = 25{,}59\ \%$

2. Ratio ATD : $\frac{30\ 713\ \$}{120\ 000\ \$} = 25{,}59\ \%$

3. Prévisions budgétaires :

| | | | |
|---|---|---|---|
| Revenus mensuels nets : | | | 7 083 $ |
| Moins : | total des dépenses mensuelles : | 2 750 $ | |
| | épargne systématique | 1 400 $ | |
| Montant mensuel disponible : | | | 2 933 $ |
| Dépenses liées au logement : | | | |
| • assurances habitation | | | 66 $ |

| | |
|---|---|
| • taxes foncières | 525 $ |
| • chauffage et électricité | 125 $ |
| • entretien et réparations | 100 $ |
| • remboursements hypothécaires | 1 909 $ |
| | 2 725 $ |

On peut donc constater que l'immeuble convoité par Robert et Andréanne semble leur être accessible. Malheureusement, ils ne disposent que de 24 000 $ en mise de fonds, ce qui leur occasionne une dépense supplémentaire en frais d'assurance hypothécaire de près de 8 000 $. Libre à eux maintenant de décider s'ils préfèrent reporter à plus tard leur achat pour économiser sur les frais hypothécaires ou si, au contraire, ils préfèrent agir maintenant, même avec cette contrainte.

L'important, c'est que Robert et Andréanne ont pris le temps de bien évaluer l'impact sur leurs finances personnelles de cet achat. Ils ont fort heureusement résisté à la tentation de signer une offre d'achat les yeux fermés, ce à quoi s'adonnent malheureusement trop d'acheteurs inexpérimentés.

# CHOIX DE LA PROPRIÉTÉ

Avant de vous attarder au choix du type de propriété que vous souhaitez acquérir, demandez-vous à quel endroit vous voulez vivre votre vie. Souhaitez-vous habiter près de votre lieu de travail, des écoles, des installations sportives ou récréatives, des facilités de transport en commun ? Ne négligez jamais cet aspect, car il aura, à n'en pas douter, une importance considérable sur la valeur marchande actuelle et future de votre maison. Le choix du quartier, d'une zone particulière à l'intérieur de ce quartier, du type de rue et de la situation de l'immeuble dans cette rue devraient être soigneusement analysés lorsque vous évaluez des propriétés à vendre.

Lorsqu'on songe à devenir propriétaire d'un logement, les choix sont multiples : propriété unifamiliale ou à revenu, copropriété divise ou indivise, part de coopérative, maison mobile ou copropriété à temps partagé. Préférez-vous une propriété détachée, jumelée ou en rangée ? Êtes-vous davantage attiré par les maisons neuves ou existantes et souhaitez-vous vous établir en milieu urbain, en banlieue ou à la campagne ? Bref, il y en a pour tous les goûts et tous les styles de vie. Loin de nous l'idée de vous orienter vers un type de propriété particulier. Toutefois, nous aimerions faire ressortir dans cette section les particularités de certaines formes d'entre elles.

## Propriété usagée

Dans le cas d'une propriété datant d'un certain nombre d'années, l'inspection professionnelle s'avère fortement recommandée. On ne saurait donc trop insister sur l'intérêt d'inscrire à l'offre d'achat une stipulation à l'effet que cette dernière sera conditionnelle à ce qu'un rapport d'inspection soit produit à votre demande et que ses conclusions soient à votre satisfaction. Portez attention au libellé du texte de la condition stipulée à l'offre d'achat pour bien comprendre à l'avance dans quelles situations vous pourrez éventuellement vous retirer de votre offre.

Vous pourrez ainsi rediscuter les conditions de la vente si l'on vous apprend que des rénovations ou des réparations majeures sont à envisager au cours des mois ou années à venir. Vous pourrez également mettre fin à vos engagements et récupérer votre dépôt si les défauts détectés sont tels que vous n'auriez pas déposé d'offre d'achat si vous les aviez connus.

Dans certains cas, selon l'utilisation envisagée, il peut être souhaitable de vérifier auprès de la municipalité les règles de zonage applicables à la propriété convoitée. Êtes-vous autorisé à y tenir un bureau à domicile et risquez-vous de voir apparaître dans le voisinage immédiat des constructions nouvelles qui pourraient vous déplaire ?

Enfin, vous pouvez demander à votre notaire ou à un agent immobilier d'examiner pour vous au bureau de la publicité des droits certaines informations concernant la propriété (nom du propriétaire, hypothèque[s] existante[s], date d'achat, prix payé) et de vous faire rapport.

## Maison neuve

Les règles diffèrent selon que vous êtes propriétaire d'un terrain et que vous souhaitez confier à un entrepreneur la construction de votre maison ou que vous vous portez acquéreur à la fois du terrain et de la maison ou de l'unité de copropriété. Dans le premier cas, on procédera à la signature d'un contrat d'entreprise. Dans le second cas, les règles sont plus strictes et le Code civil du Québec exige que ce type d'achat soit précédé de la signature d'un contrat préliminaire. L'Association provinciale des constructeurs d'habitation du Québec (APCHQ) met à la disposition des entrepreneurs un contrat type qui respecte en tous points les exigences du Code civil du Québec.

Ce qu'il faut retenir, c'est qu'en sus des dispositions usuelles ayant trait à l'objet et aux conditions de la vente, le contrat préliminaire doit contenir une stipulation par laquelle le promettant-acheteur peut dans les 10 jours de la signature du document se dédire de sa promesse. Ce délai est suffisamment long pour permettre à un acheteur de consulter un notaire de son choix pour discuter de la valeur et des conditions de la transaction envisagée et pour s'assurer que l'entrepreneur est bien accrédité à la Garantie des bâtiments résidentiels neufs de l'APCHQ pour le type de maison qu'il désire acheter. Rappelez-vous cependant que ce dernier peut exiger une indemnité d'au plus 0,5 % du prix de vente lorsque le promettant-acheteur se prévaut de la faculté de dédit. Le Code civil du Québec ne lui impose qu'une condition, soit celle d'avoir prévu ce type d'indemnité spécifiquement au contrat préliminaire. La sanction à l'absence de contrat préliminaire est de taille puisque le Code civil du Québec permet alors à l'acheteur d'annuler la vente s'il est en mesure de démontrer qu'il en subit un préjudice sérieux.

Lorsque la vente porte sur un logement détenu en copropriété et que ce dernier fait partie d'un ensemble d'au moins dix unités de logement, le vendeur doit également remettre à l'acheteur, en sus du contrat préliminaire, une note d'information. Cette dernière fournit notamment les noms des architectes, ingénieurs, constructeurs et promoteurs et contient un plan de l'ensemble du projet immobilier ainsi que le sommaire d'un devis descriptif. En outre, la note d'information devra faire état du budget prévisionnel, indiquer les installations communes et fournir des renseignements sur la gérance de l'immeuble. Enfin, on devrait retrouver en annexe une copie ou un résumé de la déclaration de copropriété ou de la convention d'indivision et du règlement de l'immeuble même s'ils sont à l'état d'ébauche et dans le cas des copropriétés divises, des détails concernant les fractions pouvant être louées par le promoteur ou le constructeur.

**À NOTER**: La note d'information sera également requise lorsque la vente porte sur une résidence faisant partie d'un ensemble comportant dix résidences ou plus ayant des installations communes.

On ne saurait être trop vigilant lorsqu'on transige avec un entrepreneur en construction. Souvenez-vous toujours de la maxime: « les paroles s'envolent et les écrits restent ». Assurez-vous donc de faire inscrire au contrat ou en ajout à ce dernier toute modification significative que vous entendez apporter aux plans et devis originaux ou à l'entente préliminaire. Cela vous évitera les malentendus si fréquents dans ce type de rapport et vous assurera que les changements requis seront couverts par la garantie ci-dessus mentionnée.

Lorsque la construction sera pratiquement terminée, vous aurez à accuser réception de la propriété et à consigner par écrit tous les travaux qu'il reste à parachever et toutes les corrections, s'il y a lieu, qui doivent être apportées à la propriété avant que vous puissiez libérer complètement votre entrepreneur. Cette « réception des travaux » devrait se faire avec le constructeur et idéalement vous devriez vous faire accompagner lors de la visite par un professionnel en bâtiment (inspecteur, architecte, ingénieur ou technologue) pour éviter d'oublier certains éléments, ce qui pourrait compromettre votre couverture pour ces points au niveau de la garantie des maisons neuves. De plus, des documents de travail fournis par l'APCHQ devraient vous aider à effectuer une vérification sérieuse des divers éléments nécessitant une attention particulière

## Copropriété

On parle de copropriété lorsque plusieurs personnes se partagent les droits de propriété d'un même immeuble. Les types de copropriétés rencontrées en pratique sont les copropriétés indivises et les copropriétés divises, parmi lesquelles figurent les copropriétés dites « à temps partagé » (*time sharing*).

### *Copropriété indivise*

À partir du moment où deux personnes ou plus se partagent la propriété d'un même immeuble, on se retrouve juridiquement dans une situation de copropriété indivise. On doit donc parler de copropriété indivise même lorsqu'un couple marié décide de se porter acquéreur d'une propriété. Cette situation fréquente où deux personnes faisant vie commune décident d'acheter ensemble une même propriété peut parfois les obliger à signer des testaments de manière à assurer la protection du survivant en cas de décès de l'un des copropriétaires.

À l'inverse de la copropriété divise, la copropriété indivise n'entraîne aucune division matérielle du bien et chaque copropriétaire possède une part de droit de propriété qui se répartit sur l'ensemble de l'immeuble. Ainsi, dans une copropriété indivise impliquant trois personnes, chacune pourra revendiquer, à défaut de convention contraire, un tiers du droit de propriété dans la bâtisse, le terrain et les autres accessoires. Les copropriétaires recevront un seul compte de taxes foncières pour la totalité de l'immeuble, contrairement à la copropriété divise où chaque fraction de l'immeuble possède une évaluation foncière distincte.

La copropriété indivise est, aux yeux du législateur, un état de droit temporaire. C'est pour cette raison qu'il sera toujours permis aux copropriétaires indivis de provoquer le partage de l'immeuble, sauf s'ils ont fait le choix dans un écrit de reporter le droit au partage à l'expiration d'une durée convenue ne devant toutefois pas excéder 30 ans. On retrouvera également assez fréquemment dans les conventions de copropriété indivise une clause dite de « droit de préemption » qui a pour but de permettre aux copropriétaires de se porter acquéreurs d'une part indivise de propriété, lors de l'aliénation de cette dernière, par préférence à tout tiers qui offrirait au promettant-vendeur des conditions de marché similaires. Même sans droit de préemption, le Code civil du Québec a tout de même prévu la protection des autres indivisaires en leur permettant dans les 60 jours où ils apprennent qu'une personne étrangère à l'indivision a acquis, à titre onéreux, la part d'un indivisaire, d'écarter cette dernière en lui remboursant le prix de la cession et les frais qu'elle a acquittés. Ce droit doit toutefois être exercé dans l'année suivant la cession.

Le Code civil du Québec contient également des dispositions concernant l'administration de la copropriété indivise. À moins que les copropriétaires n'aient désigné un gérant, il reviendra à l'ensemble des copropriétaires d'assumer en commun les tâches administratives. Les décisions seront normalement prises à la majorité, sauf lorsqu'elles visent à l'aliénation du bien indivis, à la constitution d'un droit réel sur l'immeuble, à un changement de destination ou à des modifications substantielles de l'immeuble.

Bien que non obligatoires en présence d'un tel type de copropriété, les conventions de copropriété indivise sont fortement recommandées. On voudra notamment y établir la durée de l'indivision, l'identification des parts de droit de propriété réparties entre les indivisaires, le droit d'hypothéquer des droits indivis et les modalités de ce droit ainsi que les droits de jouissance exclusive de certaines parties du bien indivis. Une fois que ces conventions ont été publiées, elles deviennent opposables aux tiers, ce qui facilite leur respect.

---

**À NOTER** : Les personnes qui souhaitent acquérir un immeuble dans le but de l'occuper et de le détenir en copropriété indivise auraient intérêt à se rappeler de cette règle du Code civil du Québec qui veut que le copropriétaire d'une partie indivise d'un immeuble loué ne puisse reprendre aucun logement s'y trouvant, à moins qu'il n'y ait qu'un seul autre copropriétaire et que ce dernier soit son conjoint marié, uni civilement ou de fait.

---

Enfin, nonobstant l'existence d'une convention de copropriété indivise, il est possible de mettre fin à l'indivision lorsque les trois quarts des indivisaires détenant 90 % des parts souhaitent procéder à l'établissement d'une copropriété divise. Dans un tel cas, les indivisaires minoritaires sont écartés mais ils reçoivent une compensation monétaire pour leur quote-part de l'indivision.

### *Copropriété divise*

La constitution d'une copropriété divise implique une division matérielle de l'immeuble en fractions comprenant chacune une partie privative (essentiellement la zone habitée par le propriétaire de la fraction de manière exclusive) et une quote-part des parties communes (exemple : le sol, les cours et balcons, parcs, locaux destinés aux services communs, au stationnement et à l'entreposage, le gros œuvre du bâtiment ainsi que les installations et appareils communs). Chacune des fractions se voit attribuer une valeur relative sur la base de laquelle sera exécuté le partage des charges diverses affectant l'immeuble.

Dans une copropriété divise, chaque fraction constitue une entité distincte et peut faire l'objet d'une aliénation totale ou partielle, étant entendu cependant que la quote-part de parties communes de chaque fraction est indissociable de la partie privative. Dans le cas d'une aliénation partielle, l'acquéreur se retrouvera donc copropriétaire indivis de la fraction de la copropriété divise afférente à la partie privative.

Il est d'une importance capitale que tout promettant-acquéreur d'une copropriété divise procède à une lecture attentive de la déclaration de copropriété publiée contre l'immeuble au bureau de la publicité des droits et à l'examen du règlement de la copropriété. C'est à l'intérieur de ces documents que l'étendue des droits de propriété et que les limitations à l'utilisation des différentes parties de l'immeuble seront précisées. C'est aussi dans la déclaration de copropriété qu'on trouvera la responsabilité de chaque propriétaire aux charges communes de la copropriété. Ces documents peuvent être volumineux, parfois un peu hermétiques, auquel cas une visite chez son notaire pourra permettre une meilleure compréhension des stipulations qui pourraient s'y retrouver.

À titre d'exemple, les droits d'utilisation d'un ou de plusieurs espaces de stationnement, les droits à des aires d'entreposage ou à l'utilisation exclusive de certaines autres parties communes devront y être soigneusement consignés. Des restrictions à l'utilisation des parties privatives ou communes auront intérêt à être connues avant que vous ne donniez votre accord final à la transaction. Ainsi, des interdictions de stationner des bateaux, véhicules de plaisance ou commerciaux peuvent s'appliquer. Il est également fréquent de constater des restrictions aux aménagements extérieurs et au type d'objets qui peuvent se retrouver sur des parties communes à un usage exclusif comme les balcons. Ainsi, les antennes paraboliques ou les cuisinières au gaz (BBQ) extérieures sont souvent prohibées.

Des règles particulières peuvent viser le nombre d'occupants, l'âge des résidants, la présence d'animaux dans les parties privatives ou communes, l'interdiction de location à des tiers ou encore l'utilisation de certains espaces communs à certaines heures de la journée. Chaque copropriété possède un règlement qui peut à l'occasion être fort contraignant. Reste à savoir si vous souhaitez vivre dans un tel environnement et vaut mieux être informé de ses droits et obligations avant d'aménager physiquement dans les lieux de la copropriété.

---

**À NOTER** : Si vous n'avez pu faire une lecture attentive de la déclaration de copropriété, du règlement de la copropriété, de l'état des charges mensuelles et du fonds de prévoyance, s'il y a lieu, ainsi que des états financiers avant la signature d'une promesse d'achat, assurez-vous d'insérer à cet avant-contrat une disposition vous permettant d'annuler votre promesse si vous n'êtes pas satisfait de l'examen de ces documents qu'on vous remettra dans les heures suivant votre engagement.

---

L'administration générale d'un immeuble détenu en copropriété divise est confiée à la collectivité des copropriétaires qu'on appelle « syndicat ». Le conseil d'administration de ce syndicat élu en assemblée générale des copropriétaires a pour principale préoccupation de voir à l'entretien et à la conservation de l'immeuble, à l'administration des parties communes et aux autres opérations d'intérêt commun.

Le syndicat tient ses pouvoirs de la déclaration de copropriété, laquelle consacre l'existence de la copropriété divise. C'est dans cette dernière qu'on retrouvera notamment la quote-part des charges afférentes attribuées à chaque fraction, le nombre de voix y rattachées et les pouvoirs et devoirs respectifs du conseil d'administration du syndicat et de la collectivité des copropriétaires.

La déclaration est accompagnée d'un règlement établissant, outre les règles relatives à l'usage et à l'entretien des parties communes et privatives, celles concernant le fonctionnement et l'administration de la copropriété, la composition du conseil d'administration du syndicat, le mode de nomination, de remplacement ou de rémunération des administrateurs.

---

**À NOTER** : C'est le syndicat qui détient l'intérêt assurable de l'immeuble. Il relève donc de sa responsabilité de voir à assurer adéquatement les parties privatives et les parties communes contre le vol, l'incendie ainsi que toute responsabilité à l'égard des tiers. De son côté, le copropriétaire verra à assurer, si nécessaire, les améliorations locatives qu'il pourrait avoir apportées à sa partie privative ainsi que ses meubles, effets personnels et responsabilité civile.

---

La majorité des copropriétés divises ont un fonds dit « de réserve » ou « de prévoyance ». Une portion des charges mensuelles lui est destinée afin de pouvoir parer à d'éventuels travaux importants. Alors que la presque totalité des charges communes sert à défrayer les services d'entretien courant des parties communes, les frais d'administration et de gestion, les coûts de l'assurance de la copropriété et de certains services publics, les salaires des employés, s'il y a lieu, ainsi que le coût des autres services, la portion destinée au fonds de réserve sert plutôt à provisionner le financement des coûts de réparation ou de remplacement qui doivent être étalés sur plusieurs années. Enfin, d'une manière exceptionnelle, on peut à l'occasion devoir imposer à la collectivité des copropriétaires des contributions spéciales pour répondre à un besoin urgent de financement d'ajouts ou de réparations à la copropriété.

On ne saurait trop insister sur l'importance de consulter avant la conclusion de l'achat les états financiers du syndicat de manière à s'assurer de la bonne santé financière de la copropriété. Notamment, si vous envisagez l'achat d'une copropriété dont la construction date de plusieurs années, il serait opportun de vérifier si le fonds de réserve est bien garni. De même, on peut s'éviter bien des déceptions en obtenant des représentants du syndicat la confirmation que l'assemblée des copropriétaires n'a pas pris de décisions relativement à des réparations importantes ou qui seraient de nature à imposer une charge financière particulière aux copropriétaires.

Par mesure de précaution additionnelle, il serait sage d'insérer à l'offre une clause imposant au vendeur la responsabilité de couvrir tout déficit existant dans le fonds de réserve ou de charges communes ainsi que l'obligation pour ce dernier de payer les dépenses, autres que celles relatives aux opérations courantes, qui auraient été légalement décidées avant le transfert du droit de propriété. Enfin, le vendeur devrait subroger l'acquéreur dans ses droits relatifs à tout solde créditeur des fonds de prévoyance et de charges communes.

---

**À NOTER** : La copropriété à temps partagé, appelée communément *time sharing*, est en quelque sorte une copropriété divise dont les droits d'usage ont été répartis entre plusieurs personnes, chacune d'entre elles ayant un droit de jouissance périodique et successif dans une fraction donnée. À moins d'avoir été prévu expressément dans la convention de copropriété, il n'est pas permis aux copropriétaires d'autoriser plusieurs personnes à se partager ainsi les droits d'usage d'une fraction. Les véritables copropriétés divises à temps partagé sont normalement régies par une convention qui établit notamment le nombre de fractions pouvant ainsi être détenues, les périodes d'occupation, le nombre maximum de personnes pouvant détenir ces fractions et les droits et obligations des occupants. Ce type de copropriété est plutôt associé aux résidences secondaires et aux grands complexes immobiliers de villégiature.

---

# FINANCEMENT HYPOTHÉCAIRE

« Magasiner » son hypothèque peut s'avérer très profitable et le temps que vous mettrez à gérer efficacement le financement de votre maison devrait être largement récompensé, comme vous pourrez le constater ci-après. De faibles économies sur une base régulière peuvent constituer des sommes fort appréciables lorsqu'on les accumule pendant une période de 20 ou 25 ans. On a donc tout intérêt à ne pas sauter sur la première offre de financement qui nous est présentée et à comparer avec soin les différentes solutions que nous proposent les nombreuses institutions financières qui s'intéressent à ce marché.

## Qu'est-ce qu'une hypothèque ?

Il s'agit en quelque sorte d'une charge rattachée à l'immeuble qui permet au prêteur d'exercer contre le bien donné en garantie certains droits au cas où celui qui a consenti à l'hypothèque ferait défaut de respecter ses obligations clairement définies à l'acte d'hypothèque. Le concept de l'hypothèque permet au propriétaire du bien visé de garder la possession du bien et d'en jouir à sa guise, sans toutefois porter atteinte aux droits du titulaire de l'hypothèque. Le droit hypothécaire est rattaché au bien, de telle sorte que le titulaire de l'hypothèque pourra en cas de défaut exercer ses droits contre le bien donné en garantie et ce, en quelque main qu'il soit.

Le contrat constituant l'hypothèque doit être notarié et publié au Bureau de la publicité des droits afin de conférer à son titulaire des droits à l'égard des tiers. Il est inscrit contre l'immeuble visé et c'est le moment de la publication de l'acte qui permet de déterminer le rang de différentes garanties pouvant affecter un même immeuble.

En cas de défaut de la part de celui qui s'est engagé à l'égard du prêteur, ce dernier pourra mettre à exécution ses droits hypothécaires. Essentiellement, le titulaire a deux recours hypothécaires possibles :

- Il peut prendre en paiement l'immeuble, soit après que le contrevenant aura accepté volontairement de délaisser le bien, soit après qu'un tribunal lui en aura donné la permission. Le titulaire qui opte pour ce recours conserve le bien pris en paiement et peut en disposer à sa guise. La prise en paiement a pour effet de libérer celui qui s'est engagé envers le titulaire de ses obligations contractuelles.
- Il peut opter pour la vente en justice de l'immeuble et pour le remboursement total ou partiel de sa créance à même le produit de disposition de la vente. Dans la mesure où les sommes perçues s'avèrent insuffisantes, le titulaire pourra réclamer de son débiteur la différence restant impayée. À l'inverse, lorsque le produit de la vente s'avère supérieur à la valeur de la créance, l'excédent doit être remis au débiteur.

L'immeuble peut parfois être grevé de plusieurs hypothèques de rangs différents. Dans un tel cas, lorsqu'un titulaire procède à l'exercice d'un recours prévu par la loi, c'est sujet aux hypothèques de rang prioritaires qu'il le fait.

L'exercice des recours hypothécaires est assujetti à la signification préalable au débiteur d'un préavis. Ce préavis constitue en quelque sorte une mise en demeure formelle aux termes de laquelle le titulaire dénonce au débiteur le défaut reproché, lui indique la nature du droit hypothécaire qu'il entend exercer et lui rappelle son droit de mettre fin à la procédure en payant ce qui est dû ou en remédiant au défaut. Le préavis doit être servi au contrevenant au moins soixante jours avant l'exercice des droits hypothécaires.

Lorsque l'hypothèque n'a plus sa raison d'être, soit parce que le débiteur a remboursé la dette en entier, soit parce qu'il a exécuté les obligations qui ont servi de base à la constitution de l'hypothèque, on procède généralement à la radiation de la garantie au Bureau de publicité des droits. Cette radiation fait suite au dépôt d'un acte de quittance signé par le titulaire qui vient y reconnaître la libération du débiteur de ses engagements contractuels. L'acte de quittance est habituellement rédigé par le notaire à la demande du propriétaire de l'immeuble qui doit en assumer les coûts.

### Fonction du courtier hypothécaire

Il agit comme intermédiaire entre l'emprunteur et les prêteurs. Son travail consiste essentiellement à chercher pour son client les meilleures conditions de financement disponibles sur le marché.

Le courtier hypothécaire doit détenir un permis d'exercice qui lui est délivré par l'Autorité des marchés financiers. Il doit en plus être membre de l'Association des courtiers et agents immobiliers du Québec (ACAIQ).

Le courtier hypothécaire reçoit une rétribution pour l'exécution de ses services qui lui provient habituellement des prêteurs avec qui il a une entente de rémunération. Il se déplace généralement pour aller rencontrer les clients à leur domicile ou à leur lieu de travail.

On peut avoir recours aux services du courtier hypothécaire lorsqu'on doit procéder à la conclusion d'une nouvelle hypothèque mais il faut se rappeler qu'on peut avoir tout intérêt à refaire cet exercice au renouvellement de la garantie. En effet, on constate malheureusement que certains prêteurs ont tendance à offrir des conditions d'emprunt plus favorables aux nouveaux clients qu'à ceux qui leur sont fidèles. Dans un tel cas, il ne faut pas hésiter à changer de prêteur à l'échéance de l'hypothèque et à renouveler cette dernière avec un nouveau créancier, les frais de transfert étant normalement absorbés par l'institution cessionnaire.

Il n'est pas rare de constater que les consommateurs fidèles à leurs fournisseurs de services financiers ou autres soient désavantagés par rapport à ceux qui prennent le temps de négocier périodiquement les conditions de leurs contrats de service. Il en est ainsi bien souvent des fournisseurs de mazout qui font curieusement disparaître à l'approche d'une nouvelle saison froide les rabais consentis à certains clients l'année précédente. Il en est de même des institutions financières qui au renouvellement d'un certificat de dépôt se font moins généreuses qu'à l'émission initiale. Le courtier hypothécaire tire profit de cette compétitivité à l'égard des nouveaux clients à laquelle se livrent les différents prêteurs hypothécaires. Il ne vous reste qu'à en profiter.

## Quel courtier choisir ?

Lorsqu'on fait appel à un intermédiaire en services financiers, il faut toujours privilégier celui qui est en mesure d'avoir accès à de nombreux fournisseurs et qui s'assure de comparer adéquatement les différentes offres.

Il faut savoir que certains courtiers hypothécaires sont exclusifs, en ce sens qu'ils représentent un seul prêteur et que plusieurs d'entre eux entretiennent des liens privilégiés avec des agents immobiliers à qui ils versent une certaine rétribution en guise de commission de référence. Il n'est pas certain que ce type de courtier hypothécaire soit bien placé pour rechercher à votre place les meilleures conditions de financement.

Optez donc plutôt pour un courtier hypothécaire non exclusif qui exécute de vraies analyses de marché avant de vous faire une recommandation. Si vous ne connaissez pas de tels courtiers, demandez à votre agent immobilier, à votre notaire ou à votre conseiller en placement, conseiller en sécurité financière ou planificateur financier. Ils devraient pouvoir vous diriger vers un ou plusieurs de ces courtiers.

Enfin, fuyez comme la peste les prêteurs hypothécaires qui seront prêts à considérer votre demande si vous acceptez de leur transférer certains autres actifs. Cette pratique dite de « vente croisée » est d'ailleurs prohibée par la réglementation en matière de services financiers. Assurez-vous plutôt de conserver votre indépendance en tout temps. Cette attitude devrait vous être davantage profitable au fil des ans. Il s'agit là d'une autre raison pour laquelle il est préférable de choisir un courtier non exclusif, car celui qui est au service d'un seul prêteur risque d'être davantage sensible aux intérêts de son employeur, ce qui pourrait ne pas toujours être à votre avantage.

## Prêteurs hypothécaires

Outre les banques, caisses de crédit et caisses populaires, il y a également les compagnies d'assurance-vie, sociétés de fiducie et sociétés de financement qui sont très actives dans le domaine du prêt hypothécaire. Certains particuliers prêtent également leur agent sur hypothèque directement aux emprunteurs ou par l'intermédiaire de notaires ou de courtiers hypothécaires.

Peu importe le type de prêteur hypothécaire, la démarche utilisée pour approuver une demande de prêt est toujours la même. D'abord le prêteur sera influencé par la qualité de crédit de l'emprunteur. L'outil principal qu'il utilisera est l'enquête de crédit qu'il obtiendra auprès d'une société spécialisée. Le résultat de cette recherche devrait lui permettre d'évaluer votre capacité à vous acquitter adéquatement de vos obligations financières.

En second lieu, il s'intéressera à vos ressources financières. Il voudra notamment s'assurer que vous touchez des revenus assez stables et que vous avez toutes les chances de pouvoir compter sur des rentrées de fonds régulières de manière à disposer constamment des sommes requises pour effectuer vos paiements. Le meilleur outil dont le prêteur dispose pour analyser cet aspect est l'avis de cotisation d'impôt. Il souhaitera généralement regarder les avis des trois dernières années et examiner de près vos récents relevés de salaires, le cas échéant.

Enfin, la mise de fonds dont vous disposez revêtira un certain intérêt pour le prêteur, car elle permettra de mesurer le niveau de risque qu'il aura à supporter. Il cherchera également à savoir si cette mise de fonds provient de vos épargnes, d'un don ou d'un emprunt personnel.

---

**À NOTER** : Les prêteurs hypothécaires courtisent de plus en plus les travailleurs autonomes même si ces derniers n'ont pas des revenus aussi prévisibles que les travailleurs salariés. Au besoin, ils pourront offrir une hypothèque assurée pouvant atteindre 90 % de la valeur de la propriété acquise.

---

## Types de prêts hypothécaires

On classe généralement les prêts hypothécaires selon certaines caractéristiques importantes.

### *Ouvert ou fermé*

Une hypothèque est dite fermée lorsqu'elle a été établie pour une période fixe au cours de laquelle l'emprunteur ne peut effectuer de remboursement par anticipation ou renégocier les conditions de l'emprunt sans encourir une pénalité. Cette dernière s'établit généralement au plus élevé des montants suivants, soit l'équivalent de trois mois d'intérêt, soit une somme correspondant à la perte de revenu que le prêteur doit assumer jusqu'à la fin du terme. À l'inverse, le détenteur d'une hypothèque ouverte peut à tout moment rembourser partiellement ou totalement son emprunt comme il peut renégocier toutes les conditions de financement.

L'hypothèque ouverte est donc toute désignée pour l'emprunteur qui pense vendre la propriété qu'il détient dans un proche avenir ou pour celui qui estime que les taux d'intérêt connaîtront une phase baissière au cours des mois à venir. En effet, dans ce dernier cas il pourra en profiter pour convertir son hypothèque ouverte en hypothèque fermée lorsque les taux auront atteint le niveau escompté.

Par contre, l'emprunteur davantage contraint dans ses ressources financières préférera bien souvent un prêt fermé afin de mieux contrôler ce poste budgétaire fort important.

### *À taux fixe ou variable*

L'hypothèque à taux fixe permet à son détenteur de connaître exactement ses coûts d'emprunt pour la période choisie. Bien sûr, plus le terme est éloigné, plus le taux est habituellement élevé. Cependant, c'est parfois le prix qu'il faut payer pour s'assurer une certaine sécurité financière et bon nombre d'acheteurs d'une première maison auraient intérêt à opter pour un premier terme à taux fixe d'une durée de cinq ans, voire sept ans, de manière à mieux contrôler les coûts d'emprunt pour cette période au cours de laquelle les nouveaux propriétaires sont davantage à risque.

Par ailleurs, l'hypothèque à taux variable plaira surtout à celui qui anticipe une baisse de taux ou à l'emprunteur suffisamment à l'aise financièrement pour assumer le risque inhérent aux taux d'emprunt qui peuvent fluctuer dans le temps. Le taux de l'hypothèque variable est déterminé chaque mois en fonction des conditions du marché. Il évolue en synergie avec le taux préférentiel des grandes banques.

Habituellement, les paiements périodiques d'une hypothèque à taux variable demeurent les mêmes peu importe la conjoncture des taux. Ils sont généralement basés sur un terme de trois ans ou de cinq ans. Lorsque les taux sont inférieurs à ceux qui ont servi de base au calcul des paiements, l'emprunteur dégage un excédent qui lui permettra de réduire le capital dû. À l'inverse, des taux plus élevés entraîneront une augmentation de la dette hypothécaire.

Certaines institutions financières offrent également des options au niveau des taux qui peuvent séduire des emprunteurs. Voici les principales :

- **Taux plafonné** : s'adressant au taux variable, cette option garantit à l'emprunteur que le taux ne pourra excéder certaines limites préétablies. En général, ces limites sont celles des taux en vigueur pour le terme de cinq ans au moment du déboursement de l'hypothèque. Cette caractéristique sera recherchée par les clients qui veulent profiter des bas taux du marché tout en voulant se sécuriser quant à l'évolution défavorable possible de ces derniers.
- **Taux convertible** : il s'agit généralement d'un taux fixe à court terme fermé qui peut être converti en taux fixe pour une période plus longue en cours du terme. Les emprunteurs qui anticipent des taux plus modérés au cours des prochains mois pourront tirer avantage d'une telle option.

### *Conventionnel ou assuré*

Les emprunteurs aptes à verser une mise de fonds initiale d'au moins 25 % de la valeur d'une propriété peuvent se prévaloir du prêt conventionnel. Dans les autres cas, le prêt est qualifié de « prêt à rapport prêt-valeur élevé » et le prêteur se doit d'exiger des emprunteurs qu'ils assurent le prêt contre le risque de défaut de leur part. Avec une hypothèque bénéficiant d'une telle assurance, le prêteur peut financer jusqu'à 95 % du prix d'achat.

Les assureurs qui dominent le marché canadien du prêt hypothécaire sont la Société canadienne d'hypothèques et de logement ainsi que GE Assurance hypothèque. Ces derniers exigent un coût d'assurance qui varie en fonction du montant de capital emprunté et du rapport prêt/valeur de la propriété. Les frais de cette assurance, assujettis à une taxe de 9 %, doivent être assumés par les emprunteurs qui peuvent soit acquitter le coût de la prime au moment de l'octroi du prêt, soit majorer le prêt hypothécaire d'un tel montant et le rembourser au fil des ans.

Les frais d'assurance varient de 0,50 % à 2,75 % du montant emprunté. Le pourcentage de frais applicable dépend du rapport prêt/valeur. Par ailleurs, dans le cas des constructions neuves où le prêteur peut avoir à effectuer plusieurs débours, les frais peuvent représenter jusqu'à 3,25 % du montant du prêt. À cela s'ajoutent des frais de souscription pour le traitement de la demande d'emprunt.

Il importe de se rappeler que cette assurance est établie au bénéfice exclusif du prêteur qui se voit ainsi garantir qu'en cas de défaut de la part d'un emprunteur, il sera intégralement remboursé par l'assureur hypothécaire pour toute perte en capital, intérêt et frais encourus.

---

**À NOTER** : Achat sans mise de fonds : certains prêteurs peuvent accepter de verser les 5 % requis pour pouvoir réaliser l'achat d'une maison sans mise de fonds, les assureurs hypothécaires refusant habituellement de prêter plus de 95 % de la valeur de la propriété. Il faut retenir cependant que les achats sans mise de fonds sont réservés aux emprunteurs qui ont un crédit irréprochable et qui détiennent quand même un montant correspondant à 1,5 % du coût d'acquisition en liquidités pour couvrir les frais engendrés par la conclusion de la transaction (frais de notaire, taxes de vente, frais d'assurance hypothécaire, etc.).

## Terme et amortissement

Lorsqu'on contracte un prêt hypothécaire, il y a lieu de ne pas confondre le terme avec l'amortissement. Le premier représente la durée de l'hypothèque, c'est-à-dire la période de temps pour laquelle les parties contractantes se sont engagées. Quant à la période d'amortissement, elle correspond au nombre d'années requises pour le remboursement complet de la dette. Ainsi, avec un prêt hypothécaire assorti d'un terme de cinq ans et d'une période d'amortissement de 25 ans, l'emprunteur aura à renégocier après cinq ans les principales caractéristiques de son emprunt (taux, terme, fréquence des paiements, etc.). C'est à ce moment qu'il devrait également faire appel au courtier hypothécaire pour procéder à une nouvelle analyse de marché et décider s'il poursuit sa relation avec le même prêteur hypothécaire. L'exercice vaut la peine d'être refait à chaque renouvellement de l'hypothèque, car beaucoup de créanciers ont la fâcheuse habitude d'offrir les meilleures conditions d'emprunt à leurs nouveaux clients. Il faut donc savoir tirer profit de cette pratique qui, soit dit en passant, n'est pas limitée aux prêts hypothécaires.

Évidemment, comme on l'a vu précédemment, le choix du terme revêt une importance considérable puisqu'en général les taux vont varier selon la période choisie. Si on anticipe des baisses de taux, on sera davantage enclin à choisir un terme plus court alors que si l'on craint une poussée des taux vers le haut, on privilégiera un taux fixe pour une période plus longue. De même, l'emprunteur un peu à l'étroit sur le plan financier préférera en général fixer les modalités de son emprunt pour une période assez longue et il optera bien souvent pour des termes de cinq ou sept ans. Les termes usuels pour les hypothèques ouvertes sont de six mois ou un an et pour les hypothèques à terme fixe, on aura le choix entre 1, 2, 3, 4, 5, 7 ans et, plus rarement, 10 ans.

---

**À NOTER** : **Si vous songez à vendre votre propriété au cours des mois ou années à venir, vous aurez certainement intérêt à tenter de faire coïncider la date d'échéance de votre hypothèque fermée avec la vente de la propriété afin d'éviter les pénalités liées aux remboursements anticipés.**

---

Quant à la période d'amortissement, elle variera bien souvent selon les capacités de payer de l'emprunteur. Plus ses ressources financières sont élevées, plus il aura intérêt à raccourcir la période d'amortissement. Dans le cas contraire, il optera plutôt pour une période d'amortissement de 20 ou 25 ans. Il est parfois surprenant de constater la faible différence des paiements hypothécaires pour une période de 20 ou 25 ans.

**À NOTER** : Rappelez-vous qu'il est possible d'opter au départ pour une période d'amortissement assez longue et de raccourcir cette dernière au moment du renouvellement de l'hypothèque.

## Fréquence des paiements

Les versements hypothécaires calculés en fonction des taux d'intérêt, de la période d'amortissement, du montant du capital emprunté et de la périodicité des paiements comprennent le remboursement des intérêts courus sur la dette, le paiement d'une partie du capital et parfois une portion des taxes foncières que le prêteur accumule dans un compte séparé, de manière à couvrir le paiement de ces charges lorsqu'elles deviennent dues.

**À NOTER** : On retrouve depuis peu sur le marché des hypothèques pour lesquelles le prêteur n'exige que le remboursement des intérêts. Appropriées dans certaines circonstances, ces hypothèques peuvent s'avérer risquées lorsque l'acheteur profite des exigences de remboursement réduites pour augmenter son niveau de consommation au détriment de sa charge hypothécaire.

Il est fortement recommandé de rapprocher les paiements si on a la discipline requise. En effet, le simple fait d'acquitter son hypothèque aux semaines ou à la quinzaine plutôt que mensuellement peut engendrer des économies considérables. Plus vos versements seront rapprochés, moins vous paierez d'intérêt sur votre hypothèque. Un simple coup d'œil au tableau qui suit vous permettra de vous en convaincre rapidement :

**Hypothèque de 200 000 $ amortie sur 25 ans**
**Taux d'intérêt de 7 %**

| Fréquence de paiement | Montant du paiement | Solde hypothécaire après 10 ans | Économie |
|---|---|---|---|
| Mensuelle | 1 400,83 $ | 156 824,22 $ | - |
| À la quinzaine | 700,42 $ | 136 325 92 $ | 20 498,30 $ |
| Hebdomadaire | 350,21 $ | 136 152,72 $ | 20 671,50 $ |

Un paiement fait à la quinzaine doit être effectué à toutes les deux semaines. Il y en a 26 dans l'année et la valeur de chaque versement correspond à la moitié du paiement mensuel. C'est donc l'équivalent de 13 versements mensuels qu'aura effectué l'emprunteur à la fin de l'année, ce qui lui permettra d'économiser plus de 20 498,30 $ au bout de dix ans.

Un paiement hebdomadaire correspond au quart du paiement mensuel. Cependant, comme il y a 52 semaines dans l'année, l'emprunteur aura, sans trop s'en rendre compte, effectué l'équivalent de 13 paiements mensuels ce qui se traduira par une économie de 20 671,50 $.

En accélérant ainsi la fréquence du remboursement de son hypothèque, on peut donc économiser des sommes substantielles, ce qui nous permettra en bout de ligne de rembourser plus rapidement le prêt hypothécaire. En fait, dans l'exemple précédent, le fait d'opter pour des paiements à la quinzaine ou hebdomadaire, plutôt que mensuels, aurait permis à l'emprunteur de rembourser son prêt à ces conditions en 20,5 ans au lieu de 25 ans.

## Quelques options à considérer

Dans le but d'attirer les emprunteurs, les prêteurs offrent à l'occasion certaines options de remboursement qui permettent de mieux répondre aux besoins particuliers de certains clients. Ce ne sont évidemment pas tous les créanciers qui offrent les mêmes options. Il faut donc savoir comparer ou, mieux, demander à son courtier hypothécaire de faire un choix parmi les prêteurs qui offrent les particularités que l'on recherche.

### *Paiement anticipé*

De nombreux prêteurs permettent aux débiteurs de rembourser 10 %, 15 % ou 20 % du montant initial du prêt au cours de chaque année civile et ce, sans aucuns frais. Lorsque l'emprunteur décide de se prévaloir de cette option, ses paiements hypothécaires ne sont généralement pas modifiés, mais le montant forfaitaire versé vient réduire d'autant le solde en capital de l'emprunt. Notons enfin que ce privilège n'est pas cumulatif et qu'en conséquence, le défaut de l'exercer au cours d'une année donnée ne vous permettra pas de doubler l'année suivante le montant maximum de paiement anticipé autorisé.

---

**À NOTER** : Au moment de rembourser le solde dû à un créancier hypothécaire sur une hypothèque fermée, vous devriez vous prévaloir de l'option de paiement anticipé avant de procéder au règlement final. Cela vous permettra d'établir le calcul de la pénalité sur un montant moins élevé que le solde en capital restant dû. De plus, quelle belle stratégie que d'investir des liquidités additionnelles dans le REÉR et d'utiliser le remboursement d'impôt pour réduire le solde dû sur l'hypothèque.

### *Majoration des versements*

Cette option consiste à permettre aux débiteurs d'augmenter le montant des versements périodiques de 10 %, 15 %, voire 100 %, une fois par année civile, sans frais. Certains prêteurs offrent même la possibilité au débiteur de doubler ses versements au gré de ses capacités financières autant de fois qu'il le désire à l'intérieur d'un terme.

### *Congés de paiements*

Certains prêteurs permettent aux emprunteurs d'obtenir un certain répit lorsque leur situation financière l'exige. Ainsi, on autorisera les débiteurs à ne pas effectuer leurs paiements pendant une période pouvant aller jusqu'à six mois en cours de terme.

### *Congés d'intérêt*

Pouvant aller jusqu'à six ou sept mois, les congés d'intérêt peuvent fournir aux acheteurs les liquidités requises pour assumer divers frais liés à l'acquisition d'une propriété.

### *Hypothèque six mois gratuits*

Un peu semblable à l'option précédente, sauf que cette fois-ci le prêteur paie pour le compte de l'emprunteur les six premiers mois du prêt.

### *Protection contre l'inflation*

Aux termes de cette disposition, le prêteur garantit à l'emprunteur que ses versements mensuels n'augmenteront pas au renouvellement à un rythme plus élevé que le taux d'inflation. Ne vous méprenez pas, cependant! La différence ne sera pas absorbée par le prêteur mais elle sera capitalisée et sera répartie sur toute la période d'amortissement de votre hypothèque.

### *Terme fractionné*

Cette caractéristique permet de disséquer le prêt en certaines tranches qui pourront avoir leurs propres modalités de remboursement (taux, terme, options de remboursement, etc.).

### *Hypothèque continue*

Aux termes de cette particularité, l'emprunteur peut obtenir des sommes additionnelles tant que l'hypothèque n'a pas été radiée et ce, jusqu'à concurrence du montant convenu à l'acte hypothécaire et selon le taux du marché au moment de l'exercice de ce privilège. Cette option s'avérera particulièrement utile pour financer des rénovations ultérieures à la propriété.

### *Hypothèque transférable*

L'emprunteur qui envisage de changer de propriété sera bien heureux d'avoir cette possibilité de transférer les conditions actuelles de son prêt hypothécaire au nouveau prêt contracté pour réaliser l'acquisition de la nouvelle résidence. Il pourra ainsi éviter la pénalité pour remboursement anticipé qu'on doit assumer lorsqu'on rembourse un prêt hypothécaire avant l'arrivée du terme.

On parle également d'hypothèque transférable lorsque le prêteur permet la vente de la propriété garantie avec l'hypothèque existante, c'est-à-dire lorsqu'on autorise un acheteur éventuel à assumer, selon certaines conditions, l'hypothèque préétablie.

### *Hypothèque long-court*

Prêt hypothécaire, en général d'un terme de cinq ans, dont une partie des paiements est calculée selon le taux variable et l'autre partie selon un taux fixe.

### *Hypothèque à taux réduit*

Il ne s'agit pas véritablement d'une option mais plutôt d'un incitatif que voudront utiliser plusieurs vendeurs, surtout des constructeurs d'habitation, pour attirer des acheteurs. En fait, il s'agit d'un rabais de taux qu'est en mesure de vous accorder un créancier hypothécaire pour une période de temps limitée en considération du fait qu'un vendeur lui a versé à l'avance un montant forfaitaire devant servir à couvrir la perte d'intérêt du créancier. Cette réduction de taux peut parfois aller jusqu'à 3 % et être établie pour une période d'une année ou deux.

---

**À NOTER** : Remises en argent : certaines institutions financières peuvent offrir à un emprunteur une remise en argent pouvant équivaloir à 2 % ou 3 % du montant de l'emprunt s'il accepte de s'engager pour une période assez longue (4, 5 ou 7 ans).

---

## Autres méthodes de financement

Outre l'établissement d'une hypothèque de premier rang conventionnelle qui constitue la méthode de financement la plus répandue auprès des acheteurs de maisons, il existe un certain nombre d'autres possibilités qu'on pourrait avoir avantage à connaître et à utiliser à l'occasion.

### *Hypothèque de deuxième rang*

Elle découle habituellement d'un solde de prix de vente qui a été établi en faveur d'un vendeur à l'acte de vente. À titre d'exemple, un acheteur pourrait faire l'acquisition d'une propriété de 200 000 $ qu'il pourrait payer comme suit :

a) hypothèque conventionnelle de premier rang de 140 000 $ ;
b) mise de fonds de 30 000 $ ;
c) solde de 30 000 $ dû au vendeur dont le remboursement est garanti par une hypothèque de second rang.

Cette solution pourrait s'avérer avantageuse parce qu'elle permettrait à l'acheteur de contracter un prêt conventionnel et d'éviter ainsi les frais de l'assurance hypothécaire applicable aux prêts à ratio prêt/valeur élevé. De plus, bien souvent les vendeurs peuvent être en mesure de consentir des conditions de remboursement favorables à un acheteur de manière à faciliter la conclusion d'une transaction. Toutefois, plusieurs actes de prêt hypothécaires stipulent que la constitution d'une hypothèque de deuxième rang constitue un cas de défaut aux termes de l'hypothèque principale et peut permettre au créancier de premier rang de réclamer le remboursement intégral du prêt. Il y a donc lieu de s'assurer du consentement du créancier de rang prioritaire avant d'accepter un tel arrangement.

Plus rarement, on verra une hypothèque de second rang négociée auprès d'un tiers. Ce type de prêt est moins fréquent parce qu'il est assorti souvent de taux d'intérêt plus élevés en raison du fait que le risque qui y est associé est plus important que pour une hypothèque de premier rang.

### *Marge de crédit hypothécaire*

Un peu l'équivalent d'une marge de crédit personnelle en ce sens que le débiteur dispose d'un plafond d'emprunt et qu'il peut augmenter ou rembourser sa dette, à sa guise, sous réserve de ne pas excéder le plafond qui lui a été consenti, lequel correspond normalement à 75 % de la valeur nette de la propriété (c'est-à-dire déduction faite de tout solde d'un prêt hypothécaire de rang inférieur, le cas échéant). Toutefois, à la différence des marges de crédit personnelles, le taux d'intérêt exigé par le prêteur est bien souvent inférieur de plusieurs points de pourcentage parce que la garantie du remboursement de la dette hypothécaire est considérée d'excellente qualité.

### *Assumation d'hypothèque existante*

Il est possible pour un acheteur de conserver l'hypothèque du vendeur et d'en poursuivre le paiement aux mêmes conditions, sous réserve de l'approbation du créancier titulaire de l'hypothèque. Ce mode de financement de l'achat d'une propriété sera prisé par certains acheteurs lorsque les conditions du marché hypothécaire s'avèrent défavorables par rapport à celles qui existaient au moment où les vendeurs ont consenti à l'établissement des garanties. Bien entendu, il faudra que l'acheteur dispose d'une mise de fonds suffisante pour pouvoir réaliser l'achat en assumant l'hypothèque ; sinon, il devra négocier une hypothèque de second rang pour finaliser la transaction.

### *REÉR-hypothèque*

On parlera de REÉR-hypothèque lorsqu'il sera question d'inclure dans un REÉR autogéré une créance hypothécaire immobilière portant sur l'immeuble du titulaire du REÉR ou sur celui d'un tiers. Les principales règles gouvernant ce type de placement sont les suivantes :

a) L'hypothèque doit être garantie par une propriété immobilière située au Canada.
b) L'hypothèque doit être administrée par un prêteur qui est autorisé à le faire selon les prescriptions de la Loi nationale sur l'habitation. Normalement, il s'agit d'une société de fiducie.
c) Lorsque le titulaire du REÉR est également l'emprunteur, l'hypothèque doit être assurée par un assureur hypothécaire comme la Société canadienne d'hypothèques et de logement (SCHL). Dans les autres cas, ce ne sera pas nécessaire, à la condition que le débiteur hypothécaire n'ait aucun lien de dépendance avec le rentier, titulaire du REÉR.
d) Le taux d'intérêt exigé doit être comparable aux taux du marché alors en vigueur.

L'intérêt principal du REÉR-hypothèque réside dans le fait que votre REÉR devient votre créancier et que les intérêts versés, lors des remboursements périodiques, le sont à votre propre REÉR plutôt qu'à un créancier institutionnel. Étant donné que vous avez intérêt à ce que vos actifs REÉR croissent le plus rapidement possible, il peut être souhaitable de rechercher le taux d'intérêt hypothécaire le plus élevé sur le marché et de l'appliquer à votre emprunt.

Malheureusement, la mise sur pied d'un REÉR-hypothèque entraîne certains frais qui peuvent rendre cette option beaucoup moins intéressante. Essentiellement, ces frais sont de deux types : d'abord des frais initiaux liés à la mise en place de la garantie (frais d'étude de dossier, d'évaluation et d'assurance-hypothécaire, s'il y a lieu) puis des frais annuels de gestion qui seront exigés par l'administrateur du régime.

Le REÉR-hypothèque ne s'adresse donc pas à tout le monde. Toutefois, plus le montant d'emprunt est élevé et plus la période d'amortissement envisagée est longue, plus ce mode de financement mérite l'attention des emprunteurs.

### *Régime d'accession à la propriété (RAP)*

Aux termes du Régime d'accession à la propriété, l'acheteur d'une maison peut retirer jusqu'à 20 000 $ (40 000 $ s'il s'agit d'un couple) de son régime enregistré d'épargne-retraite (REÉR) pour effectuer l'achat envisagé.

La somme retirée du REÉR n'a pas à être ajoutée aux revenus imposables du rentier pour l'année du retrait. Toutefois, ce dernier se devra de la rembourser à son REÉR sur une période maximale de 15 ans commençant la deuxième année civile suivant celle du retrait. Le montant minimum dû annuellement vous est communiqué par l'Agence du revenu du Canada (ARC). On peut également le calculer soi-même en divisant le solde dû au 31 décembre de l'année précédente par le nombre d'années restant à courir jusqu'à la fin des 15 ans réglementaires. Si vous ne pouvez effectuer les remboursements requis en temps opportun, vous serez tenu d'ajouter à vos revenus imposables pour l'année les sommes dues au cours de cette même année mais non remboursées.

Le titulaire du REÉR ou son conjoint peuvent bénéficier des avantages du RAP. Cependant, ils ne peuvent s'en prévaloir qu'à la condition de ne pas avoir été propriétaires d'une habitation leur servant de résidence principale au cours des cinq dernières années civiles comprenant l'année courante.

De plus, voici quelques autres exigences à retenir :

- La propriété doit être achetée avant le 1er octobre de l'année suivant celle du retrait.
- Les cotisations versées à un REÉR dans les 90 jours précédant le retrait ne pourront donner droit à une déduction fiscale si elles font partie des sommes composant le retrait.
- Le retrait des sommes doit avoir été fait au plus tard 30 jours après l'acquisition de la propriété.

Enfin, sachez que le recours au RAP pour l'achat d'une propriété a un effet défavorable sur le financement de son capital retraite puisque l'argent retiré du REÉR et remboursé sur une période de 15 ans ne pourra généralement pas connaître la même appréciation que s'il était demeuré dans le REÉR.

---

**À NOTER** : Le fait de retirer des sommes du REÉR pour les fins du RAP peut s'avérer fort coûteux si votre REÉR comprend des fonds mutuels avec frais de sortie car votre conseiller en placements devra alors vendre vos investissements pour réaliser le retrait.

Notez également que le retour d'impôt qui est généré par une contribution importante au REÉR en vue du RAP ne pourra pas servir dans le calcul de la mise de fonds initiale requise lors de l'achat d'une propriété, les prêteurs refusant généralement de reconnaître ces sommes d'argent comme faisant partie des épargnes personnelles d'un emprunteur.

---

## L'hypothèque préapprouvée

On ne saurait trop recommander l'utilisation plus fréquente des hypothèques préapprouvées. Elles ont un double mérite : permettre à l'emprunteur de connaître à l'avance ses capacités d'emprunt et lui garantir des conditions de financement au moment où il négocie l'achat d'une maison.

La plupart des institutions financières et des courtiers hypothécaires se feront ainsi un plaisir d'étudier avec vous votre crédit et de déterminer à l'avance les conditions de financement optimales qui pourraient vous être octroyées si vous réalisez l'achat d'une propriété pendant une période convenue.

Habituellement, on devrait être en mesure de vous fournir une attestation qui va établir clairement votre capacité financière et définir les conditions de financement qui pourraient s'appliquer à un prêt hypothécaire éventuel. Muni de cette attestation, vous serez en mesure de partir à la recherche de la propriété qui vous intéresse avec plus d'assurance. Évidemment, les prêteurs se réserveront toujours le droit de refuser de donner suite à leur proposition si la propriété achetée n'a pas une valeur suffisante pour leur permettre de garantir adéquatement l'emprunt.

Portez attention cependant à la période de garantie de taux parce qu'il peut s'écouler passablement de temps entre le moment où vous recevez cette préapprobation et celui du débours des fonds pour finaliser la transaction. On recherchera donc idéalement une période d'au moins 90 jours. Si les taux baissent au cours de cette période, vous pourrez vous prévaloir du nouveau taux. S'ils augmentent, vous bénéficierez d'un taux plafond garanti.

### L'hypothèque sur copropriété indivise

Bien qu'un bon nombre de créanciers hypothécaires refusent tout simplement de prendre en garantie des portions indivises d'un immeuble, il est possible d'envisager la constitution d'une hypothèque sur un droit indivis. En cas de défaut, le créancier pourra alors saisir uniquement les droits indivis du débiteur et non pas la totalité de l'immeuble, à moins que les autres copropriétaires n'aient convenu de garantir ainsi la dette de l'un d'eux en affectant en garantie du remboursement de l'emprunt leurs propres droits de propriété. Par ailleurs, un partage de biens, avant le moment fixé par la convention de copropriété, ne pourrait causer préjudice au créancier détenteur d'une hypothèque sur une part indivise du bien, sauf s'il a consenti au partage ou lorsque son débiteur se voit attribuer, à la suite du partage, un droit de propriété sur une partie quelconque du bien. Par contre, si le constituant ne conserve aucun droit sur le bien, l'hypothèque subsiste mais elle est reportée selon son rang sur la soulte qui lui est payable à la suite du partage.

## Cautionnement

À l'occasion d'une demande de financement hypothécaire, on peut parfois exiger un cautionnement pour finaliser l'approbation du prêt. Il s'agit alors d'obtenir l'engagement d'une personne à rembourser le prêt en totalité ou en partie si le débiteur principal fait défaut de respecter ses engagements.

L'engagement de la caution peut-être limité à une partie de l'obligation principale ou il peut prendre fin à une date déterminée. La caution peut en outre mettre fin à son engagement après un délai de trois ans au moyen d'un préavis transmis au débiteur, au créancier et aux autres cautions, s'il y a lieu, lorsque le cautionnement a été consenti en vue de couvrir des dettes futures ou indéterminées ou encore pour une période indéterminée pour autant que la dette ne soit pas devenue exigible.

Le décès de la caution met fin au cautionnement. Les héritiers de la caution répondront alors des dettes existantes au moment du décès mais ils ne seront pas responsables de celles contractées après le décès.

La caution appelée à rembourser une dette pourra être subrogée dans les droits du créancier et réclamer du débiteur ce qu'elle a payé en capital, intérêts et frais, en outre des dommages et intérêts pour les préjudices qu'elle a subis. Par contre, elle devra informer le débiteur principal du fait qu'elle versera au créancier un paiement, si elle ne veut pas se voir refuser ultérieurement son droit de réclamation à l'encontre du responsable de la dette.

## RÔLE DES INTERVENANTS

Une bonne préparation de l'acheteur constitue certes un gage de succès d'une transaction d'achat d'un bien immobilier. Toutefois, sans l'intervention de certains conseillers et professionnels, l'opération s'avère plus risquée qu'elle n'y paraît. L'arpenteur-géomètre, l'évaluateur agréé, l'inspecteur en bâtiment, le courtier hypothécaire, le conseiller en assurances de personnes et en assurances de dommages, l'agent immobilier et le notaire sont à votre service et devraient vous être d'une grande utilité pour que votre achat vous soit des plus profitables.

Bien sûr, certains coûts peuvent être rattachés aux services qui vous seront rendus. Sachez toutefois que même si vous deviez faire appel à chacun de ces conseillers et professionnels, les coûts totaux devraient se résumer à quelques milliers de dollars. Si on considère que l'achat d'une maison représente bien souvent l'engagement financier le plus important que vous aurez à réaliser au cours de votre vie, on devrait pouvoir justifier facilement une telle dépense, surtout lorsqu'on la compare à la hauteur des coûts du bien dont on envisage l'acquisition.

Voyons donc brièvement la nature des interventions de chacun de ces conseillers et professionnels ainsi que le rôle qu'ils peuvent être appelés à jouer dans la transaction.

### Apenteur-géomètre

C'est le seul professionnel qui est reconnu pour interpréter et établir clairement les limites des propriétés foncières. C'est lui qui rédige le document appelé « certificat de localisation » après avoir soigneusement situé les constructions sur le terrain et avoir fait les recherches requises pour s'assurer que l'immeuble visé ne contrevient pas à certains droits privés établis à l'égard de tiers (servitudes, droits de passage, etc.) ou à des règles de droit public comme les règlements de zonage et qu'il n'aille pas à l'encontre de certaines réglementations particulières.

Le certificat de localisation comporte deux parties :

a) Un rapport qui décrit essentiellement la propriété selon ses coordonnées cadastrales (numéro de lot et cadastre), fait état des servitudes, empiètements et autres irrégularités, s'il y a lieu, et établit la conformité de l'occupation aux titres de propriété.
b) Un plan qui représente graphiquement l'emplacement en y localisant les bâtisses sur le terrain et en montrant autant que possible les particularités identifiées dans le rapport.

Les coûts de préparation d'un certificat de localisation sont fonction de la complexité du dossier et du temps consacré à sa confection. Pour une propriété unifamiliale en milieu urbain sans problème particulier, les frais sont généralement de 450 $ à 600 $. Dans certains autres cas, ils peuvent être beaucoup plus élevés. Vous pouvez obtenir une estimation des frais en consultant directement l'arpenteur-géomètre de votre choix.

La plupart des promesses d'achat contiennent une disposition voulant que le vendeur devra fournir à l'acheteur, à ses frais, un certificat de localisation démontrant l'état actuel des lieux. Comme les notaires ne visitent pas les lieux physiques où se trouvent les propriétés faisant l'objet de transactions, il relève de votre responsabilité de vous assurer avant la signature de l'acte de vente que le certificat de localisation qui vous a été fourni est bien exact en tous points à la situation actuelle de l'immeuble. Si vous croyez que depuis l'émission de ce document l'immeuble a fait l'objet d'une rénovation cadastrale ou que des modifications ont été apportées à la propriété, assurez-vous de demander à un arpenteur-géomètre de préparer un nouveau certificat de localisation. À titre d'exemple, une piscine, une clôture ou d'autres nouvelles constructions ont pu être ajoutées depuis. Si effectivement de tels ajouts ont été réalisés et que le vendeur s'était engagé à vous fournir un certificat démontrant l'état actuel de l'immeuble, il devra en assumer les frais.

Par ailleurs, lorsque le vendeur a vendu sa propriété sans s'être engagé à fournir un tel document, vous devrez en supporter les frais et ne pourrez vous en passer si vous procédez à la conclusion d'un emprunt hypothécaire, les prêteurs exigeant généralement un certificat de date récente.

Enfin, moyennant des frais additionnels, sachez qu'il est possible de faire piqueter le terrain, au besoin, c'est-à-dire faire installer par l'arpenteur des repères à chaque point d'angle du terrain. Cette opération peut faciliter par exemple l'installation d'une nouvelle clôture.

### Évaluateur agréé

C'est le seul professionnel autorisé à formuler moyennant rémunération une opinion objective sur la valeur d'un bien immobilier à une date donnée. Pour y arriver, il aura principalement recours à des méthodes d'évaluation reconnues : celle du coût, de la comparaison et du revenu.

Essentiellement, l'évaluateur agréé devra d'abord procéder à une visite attentive de la propriété au cours de laquelle il notera les mesures du terrain, des bâtisses et des pièces, vérifiera la qualité des matériaux et l'état d'entretien de la propriété. Il vérifiera également les baux, s'il y a lieu, les charges financières et pourra consulter plans et titres de propriété.

Une analyse du voisinage est fort importante puisqu'il devra mesurer la valeur de la propriété en la comparant aux autres immeubles des environs qui ont fait l'objet de transactions récentes.

Enfin, il procédera à une analyse du coût de remplacement du bâtiment et, lorsque la situation s'y prête, à une étude approfondie des possibilités économiques qu'offre la propriété sous étude.

Tout ce travail, il l'exécutera dans le but d'en arriver à arrêter une opinion motivée, objective et fiable, sur la valeur marchande de la propriété à une date donnée et pour les fins du mandat qui lui a été confié.

Il ne faut pas confondre ce type d'évaluation qui appartient aux membres de l'Ordre professionnel des évaluateurs agréés avec d'autres évaluations de valeur marchande réalisées par des prêteurs ou des agents immobiliers sur la base de critères sommaires et non reconnus.

L'achat d'une propriété peut très souvent provoquer chez l'acheteur un sentiment d'insécurité puisqu'il procède à une transaction fort importante et qu'il est généralement bien ardu pour lui de s'assurer qu'il paie le juste prix. On ne peut que recommander aux acheteurs d'obtenir d'un évaluateur agréé, avant d'apposer leur signature à une promesse d'achat, une évaluation professionnelle de la valeur de la propriété. Bien sûr, il est difficile de procéder ainsi, la plupart du temps parce que l'acheteur se sent pressé à conclure la transaction, soit parce qu'on lui impose une pression indue ou que l'on est dans un marché de vendeurs caractérisé par des transactions qui se font parfois à la vitesse de l'éclair. Cependant, retenez qu'il est toujours possible de contourner cette problématique en déposant une promesse d'achat conditionnelle à la réalisation d'une évaluation indépendante confirmant le prix offert. Il se pourrait qu'une clause de ce genre indispose cependant le vendeur et vous aurez à décider si vous tenez quand même à imposer cette condition. D'autres, par ailleurs, particulièrement ceux qui ont déjà fait évaluer par un évaluateur agréé leur maison avant de la mettre en vente, se montreront plus compréhensifs et accepteront soit de vous fournir l'évaluation dont ils disposent, soit de vous accorder un délai pour en obtenir une à vos frais.

En ce qui a trait aux coûts, prévoyez entre 300 $ et 500 $ pour une propriété unifamiliale en territoire urbain.

### Inspecteur en bâtiment

Malheureusement, il n'y a pas d'ordre professionnel ou d'organisme particulier qui contrôle le niveau de formation et de compétence de ceux qui s'affichent comme inspecteurs en bâtiment. On retrouve donc sur le marché un grand nombre d'entrepreneurs qui prétendent pouvoir exécuter ce travail. Certains d'entre eux ont une grande expérience en construction alors que d'autres peuvent abuser de la confiance de leurs clients et offrir un service de piètre qualité.

Une bonne manière de trouver un inspecteur en bâtiment consiste à s'adresser à une association regroupant les personnes exécutant ces fonctions, parce qu'en règle générale ces associations imposent un code de déontologie à leurs membres et s'assurent que ces derniers possèdent les compétences que la fonction exige. Dans un même ordre d'idées, on devrait porter attention aux liens d'affaires qu'un inspecteur peut entretenir avec un agent immobilier et qui seraient succeptibles de le placer en conflit d'intérêt. En conséquence, il est peut-être préférable de faire votre propre recherche.

Une chose est sûre cependant, la très grande majorité des acheteurs devraient exiger qu'un inspecteur en bâtiment leur produise un rapport d'inspection à leur satisfaction avant de clore la transaction relative à une propriété existante. Plus il s'est écoulé d'années depuis la construction, plus l'inspection professionnelle s'avère essentielle.

L'inspection comprend un examen visuel exhaustif de l'ensemble de la propriété avec une attention particulière sur les composantes qui peuvent occasionner des dépenses importantes lorsqu'elles ont besoin d'être réparées ou remplacées. Ainsi, un bon inspecteur en bâtiment vérifiera beaucoup de détails auxquels l'acheteur attachera bien souvent fort peu d'attention. L'état de la toiture, des fondations, des solins, de la surface des murs, des systèmes de plomberie, d'électricité, de chauffage et de climatisation, l'isolation ainsi que le nivellement du sol seront examinés avec soin. Suivra un rapport écrit, signé par l'inspecteur, faisant état des déficiences constatées, s'il y a lieu, et de l'estimation des travaux à venir ainsi que des coûts qui devront alors être supportés. Ce document est essentiel si vous voulez renégocier les conditions de l'offre ou y mettre fin après la découverte de défauts importants par l'inspecteur en bâtiment.

On ne peut que vous recommander d'être présent lorsque l'inspecteur en bâtiment visitera la propriété. Vous pourrez alors obtenir des informations sur l'état de la propriété dont vous planifiez l'achat et poser les questions qui vous préoccupent.

Pour une résidence unifamiliale de taille moyenne on devrait prévoir de 300 $ à 500 $.

Une mise en garde s'impose au niveau du libellé de la condition relative à l'inspection professionnelle qu'on retrouve dans plusieurs offres d'achat. Elle peut être assez restrictive ou être beaucoup plus libérale, de manière à permettre à un acheteur éventuel de se dédire d'une offre d'achat à la suite d'un rapport d'inspection défavorable sans avoir à justifier sa décision. La clause standard de certains formulaires prévoit que l'acheteur peut se retirer lorsque « l'inspection révèle l'existence d'un facteur se rapportant à l'immeuble susceptible, de façon significative, d'en diminuer la valeur ou les revenus ou d'en augmenter les dépenses ». Or l'ajout des termes « de façon significative » impose au promettant-acheteur un fardeau de preuve qui peut être difficile à assumer. Nous estimons donc qu'il serait préférable de stipuler à l'offre que le promettant-acquéreur pourra mettre fin à l'offre lorsque le rapport d'inspection produit n'est pas à son entière satisfaction.

## Courtier hypothécaire

Le courtier hypothécaire détient un permis qui lui est émis par l'Autorité des marchés financiers et sa principale fonction est de conseiller ses clients sur les meilleures conditions de financement hypothécaire disponibles sur le marché. Il tire sa rémunération habituellement des prêteurs hypothécaires qui souhaitent ses références de clientèle.

On ne peut que vous encourager fortement à utiliser les services d'un courtier hypothécaire et à le faire précocement, c'est-à-dire avant même d'entreprendre vos recherches de propriété. Vous pourrez ainsi bénéficier des services de préqualification que tout bon courtier est en mesure de vous offrir. Il pourra donc vous apporter une aide précieuse pour identifier votre capacité d'emprunt et par le fait même vous éviter de vous attarder à des maisons trop chères. De plus, vous bénéficierez d'une garantie de taux plafond qui pourra être valable pour une période pouvant aller jusqu'à 120 jours, de quoi vous permettre de rechercher votre propriété avec plus de sérénité.

Enfin, vous trouverez des informations additionnelles sur le rôle des courtiers hypothécaires dans la section traitant de financement hypothécaire.

### Agent immobilier

Si la maison que vous convoitez est à vendre par l'intermédiaire d'un agent immobilier, vous avez deux choix : vous pouvez faire affaire directement avec le courtier inscripteur, celui dont le nom figure sur l'enseigne « à vendre », ou encore vous pouvez faire appel à l'agent immobilier de votre choix qui vous accompagnera lors de la visite et des négociations qui pourraient s'ensuivre. Vous n'aurez généralement pas à rétribuer votre agent puisque la pratique veut que les courtiers partagent dans un tel cas la commission payée par le vendeur. Cependant, il n'est pas certain que vos intérêts seront mieux servis si vous décidez de faire appel à votre propre agent, car l'agent inscripteur pourra être alors porté à moins collaborer à la conclusion de la transaction s'il sait que sa commission sera amputée de la moitié.

Vous pouvez également demander à votre agent de rechercher pour vous parmi les propriétés à vendre par les autres courtiers celles qui pourraient vous intéresser et à vous accompagner dans vos démarches subséquentes (visites, négociations, etc.). Encore une fois, vous n'aurez pas de contrat à signer avec votre courtier puisqu'il sera rémunéré par le courtier du vendeur.

Le recours à un agent immobilier pour la recherche de votre propriété peut vous épargner temps et argent parce qu'il pourra garder constamment un œil sur les occasions qui pourraient se présenter sur le marché et qu'il est en mesure de départager les offres réalistes de celles qui sont exagérées. À cet égard, il pourra vous être profitable de travailler avec plusieurs agents plutôt qu'avec un seul et ce, en toute transparence, de manière à vous assurer d'un support constant de la part des intermédiaires en courtage immobilier.

---

**À NOTER** : Pour vous aider à trouver la propriété qui vous convient, consultez les quotidiens et journaux, leurs sites web, mais ne négligez pas les autres sites immobiliers internet qui offrent également des propriétés à vendre. Vous trouverez une liste de certains de ces sites au *Répertoire des ressources* à la fin du présent ouvrage.

---

## Notaire

Sans contredit le véritable spécialiste de l'immobilier, le notaire est le seul professionnel à pouvoir rédiger un acte de prêt hypothécaire. Sa fonction première lors de la conclusion d'une transaction de vente immobilière consiste à :

- S'assurer que les titres de propriété ne comportent pas de vice et que toutes les charges affectant l'immeuble et relevant de la responsabilité du vendeur seront entièrement payées et radiées lors de la vente.
- Reproduire fidèlement dans un acte notarié les ententes découlant de la promesse d'achat qui subsistent lors de la conclusion de la transaction.
- Procéder à la rédaction, la signature et la publication de l'acte de vente et des hypothèques contractées par l'acheteur.
- Répartir entre les parties les charges immobilières usuelles (taxes foncières, réservoir de mazout, etc.) ainsi que les revenus de loyers selon la date établie pour la conclusion de la transaction.
- Remettre au vendeur le produit de la vente détenu en fidéicommis lorsque l'acte de transfert aura été publié sans entrée adverse.
- Au besoin, effectuer certaines retenues d'argent dans le but de garantir à l'acheteur un titre de propriété libre de toutes charges et de s'assurer que toutes les conditions de la vente ont été respectées.

Bref, le notaire est un officier public membre d'un ordre professionnel et il doit agir avec impartialité lorsqu'il exerce les fonctions ci-dessus mentionnées.

On a souvent reproché aux notaires d'intervenir tardivement dans les transactions d'achat-vente de propriétés immobilières. Bien souvent le notaire est appelé à se saisir d'un dossier d'achat-vente après la signature et l'acceptation par le vendeur d'une promesse d'achat. Or on peut alors déplorer le fait que le notaire n'a pas été présent lors de la rédaction des avant-contrats et que son expertise de juriste n'a pas été mise à profit au moment où l'acheteur en aurait eu besoin, car faut-il rappeler que la promesse d'achat est un avant contrat qui lie juridiquement les parties. Personne ne peut en modifier unilatéralement les termes et conditions par la suite, pas même le notaire, si ces dernières s'avèrent préjudiciables à l'égard d'une des parties.

Fort heureusement, depuis peu de nombreux notaires ont décidé d'offrir aux acheteurs des services conseils pour les aider à bien comprendre le processus d'achat d'un bien immobilier et à éviter les écueils qui peuvent en découler. La Chambre des notaires du Québec est en mesure de vous mettre en contact avec des notaires qui ont une pratique assez importante en droit immobilier et qui souhaitent offrir des services d'accompagnement à leurs clients afin que ces derniers puissent être davantage satisfaits de leur expérience et qu'ils puissent tirer profit des connaissances étendues du notaire à chacune des étapes des transactions.

À partir du moment où l'idée de se porter acquéreur d'une propriété semble se concrétiser, le futur acheteur est invité à contacter un notaire qui offre un tel type de service pour discuter avec lui de sa capacité financière, du type de propriété qu'il souhaite acquérir, des conditions dans lesquelles il souhaite le faire et pour établir avec le notaire la stratégie qui sera utilisée. C'est également au cours de cette première rencontre que le futur acheteur devrait identifier avec son notaire l'équipe de conseillers et de professionnels qui seront impliqués à un moment ou à un autre dans le dossier.

Par la suite, le futur acheteur voudra probablement que le notaire examine avec lui le contenu de toute promesse d'achat avant que cette dernière soit remise au vendeur ou à son représentant. Cette intervention du notaire sera encore plus appréciée lorsque le vendeur convient de vendre sa propriété sans l'aide d'un agent immobilier.

De plus, lorsque l'acheteur envisage l'achat d'une copropriété, il se verra bien souvent confronté à la lecture de plusieurs documents légaux (déclaration de copropriété, règlement de la copropriété, procès-verbaux des assemblées), à l'examen de documents financiers (budget, états financiers) et il y a fort à parier qu'il appréciera l'aide du notaire pour aller à l'essentiel et mesurer adéquatement l'étendue de ses droits et obligations s'il procède à l'achat visé.

Bref, cette approche permet au futur acheteur de passer à travers chacune des étapes de l'achat d'une propriété en toute confiance, puisqu'en tout temps il sait qu'il peut disposer des conseils avisés d'un notaire dont la pratique consiste essentiellement à voir défiler devant lui acheteurs et vendeurs de propriétés immobilières.

Les sommes en jeu lors de l'achat d'une propriété immobilière sont maintenant tellement importantes que les coûts requis pour bénéficier des services conseils d'un notaire semblent négligeables eu égard aux bénéfices qu'on peut en retirer.

## Conseiller en assurances

Vous aurez recours aux services d'un courtier en assurances de dommages aux particuliers et probablement que vous devrez également consulter un conseiller en assurances de personnes pour répondre à vos besoins de protection. Dans tous les cas, nous vous suggérons fortement de faire des affaires avec des courtiers indépendants ou des conseillers en assurances de personnes qui représentent plusieurs compagnies d'assurances. Vos chances de trouver le meilleur produit au meilleur prix sur le marché seront ainsi beaucoup plus grandes.

### *Courtier en assurances de dommages aux particuliers*

C'est par l'intermédiaire de ce dernier que vous pourrez contracter une police d'assurance habitation, laquelle s'avère essentielle compte tenu de l'ampleur des pertes financières qui pourraient se matérialiser si vous deviez subir un sinistre majeur.

Cette assurance comprendra une couverture pour le coût de remplacement des constructions et pour leur contenu en biens personnels. De plus, votre responsabilité civile sera assurée pour le cas où vous pourriez être tenu responsable de dommages à des tiers en raison des biens que vous détenez.

Si vous êtes propriétaire d'une copropriété divise, votre assurance habitation devrait se limiter à la couverture des améliorations locatives apportées à votre partie exclusive et à celle de vos biens meubles et effets personnels, sans oublier toutefois la responsabilité civile.

Assurez-vous que le montant des protections est suffisant et sachez que l'immeuble devra être couvert pour un montant au moins équivalent à celui de l'emprunt hypothécaire. Pour ce qui est des biens meubles, portez une attention particulière aux biens dits « de luxe » (bijoux, manteaux de fourrure, tableaux, etc.) qui sont bien souvent exclus de la protection de base.

Les coûts varieront évidemment en fonction du niveau de protection que vous souhaitez et des niveaux de franchise que vous choisirez. Votre courtier devrait vous aider à comparer des couvertures similaires auprès de différents assureurs de manière à ce que vous puissiez dénicher le produit qui vous convient, au meilleur coût.

---

**À NOTER** : Vous devrez fournir au prêteur hypothécaire une note de couverture d'assurance-habitation adéquate, car il s'agira d'une de vos obligations contractuelles majeures que celle d'assurer convenablement en tout temps votre propriété et de faire en sorte que les intérêts de votre créancier seront protégés en cas de sinistre.

---

### *Conseiller en assurances de personnes*

Ce dernier sera en mesure d'analyser avec vous quels sont vos besoins en matière de protection (assurance-vie, invalidité ou maladies graves) de manière à ce que votre sécurité financière ne soit pas compromise si un événement fâcheux devait vous toucher alors que votre propriété n'est pas entièrement payée.

Ainsi, bien souvent les emprunteurs voudront s'assurer qu'en cas de décès leur dette hypothécaire sera réduite, voire éliminée par le versement d'une prestation de décès. Il en va de même de la couverture d'invalidité qui peut protéger un individu contre une perte de revenu en cas d'invalidité qui pourrait compromettre sa capacité de poursuivre ses paiements périodiques. Enfin, l'assurance maladies graves prévoit le versement d'une somme forfaitaire non imposable qui est versée dès que l'assuré survit au moins 30 jours à une maladie grave. La prestation payable peut évidemment servir alors à réduire ou éliminer le fardeau de la dette hypothécaire de l'assuré.

Plusieurs créanciers hypothécaires offrent une ou plusieurs de ces protections à leurs clients qui contractent des prêts hypothécaires. Avant de sauter sur l'offre de votre prêteur, prenez bonne note des différences notables entre les produits d'assurance individuels et ceux offerts par la plupart des institutions prêteuses :

a) La prestation de décès est versée à l'assuré directement si le contrat est individuel et qu'il a été émis au nom de l'assuré. Dans le cas de l'assurance offerte par le créancier, la prestation est normalement payable au prêteur. Or on peut avoir intérêt à utiliser la prestation de décès à d'autres fins au moment où le décès survient. Il peut être préférable de rembourser certaines autres dettes plus coûteuses ou encore d'utiliser les sommes perçues pour permettre au(x) survivant(s) de maintenir un certain niveau de vie. Bref, l'assurance individuelle permet généralement plus de latitude au niveau de l'utilisation des sommes versées par l'assureur.
b) La définition de ce qui constitue une invalidité totale peut différer probablement dans les contrats individuels

de celle figurant dans les contrats collectifs des créanciers hypothécaires.

c) Le nombre de maladies graves couvertes par les assurances individuelles est généralement plus élevé que dans le cas des régimes offerts par les prêteurs.

d) L'assurance individuelle demeure en vigueur même si l'assuré change de créancier hypothécaire, ce qui s'avère un avantage de taille. De plus, l'assurance-vie individuelle de type temporaire peut être transformée en assurance-vie permanente jusqu'à un certain âge, sans avoir à présenter une nouvelle attestation de santé.

e) Les taux des primes de l'assurance individuelle sont garantis une fois qu'ils ont été établis, ce qui n'est pas le cas pour l'assurance offerte par les prêteurs hypothécaires.

Lorsque vous aurez à comparer le coût des protections des différents produits disponibles sur le marché, soupesez bien les particularités de chacun en ayant en tête les points ci-dessus mentionnés.

---

**À NOTER**: Il ne faut surtout pas confondre l'assurance-vie hypothèque avec l'assurance-hypothèque qui doit obligatoirement accompagner les emprunts à ratio prêt/valeur élevé. La première est établie au bénéfice de l'emprunteur alors que la seconde vise uniquement la protection du créancier pour le cas où l'emprunteur serait en défaut d'exécuter ses obligations.

---

Comme vous avez pu le constater, la constitution d'une équipe de conseillers et de professionnels ne devrait pas être négligée. Des économies de bouts de chandelle à l'achat peuvent parfois vous exposer à des risques financiers importants par la suite. Optez toujours pour les conseillers et les professionnels indépendants qui sont en mesure de subordonner leurs intérêts personnels, professionnels ou de relations d'affaires, ou ceux de leur employeur à celui de leurs clients. Si vous ne disposez pas de toutes les références souhaitées, faites appel à votre notaire qui saura vous diriger de manière désintéressée, franche et honnête vers les intervenants appropriés. En effet, son code de déontologie l'oblige notamment à éviter tout type de conflit d'intérêts.

## PROMESSE D'ACHAT

La promesse d'achat est un document juridique aux termes duquel un promettant-acheteur s'engage à se porter acquéreur d'une propriété particulière selon les termes et conditions qui y sont stipulés. Un délai est accordé au vendeur pour prendre position et décider s'il convient de vendre aux conditions proposées. Lorsqu'il donne son accord à la promesse d'achat, cette dernière devient bilatérale et engage dès lors les deux parties. S'agissant d'un contrat préliminaire, il est évident qu'une autre transaction devra avoir lieu ultérieurement devant notaire. Il s'agira de la signature de l'acte de vente qui entraîne le transfert du droit de propriété.

Lorsqu'il s'agit de l'achat d'une propriété principalement résidentielle de moins de cinq logements appartenant à un particulier et qu'un courtier ou un agent immobilier est impliqué dans la transaction, l'utilisation du formulaire officiel de l'Association des courtiers et agents immobiliers du Québec (ACAIQ) est obligatoire. Dans les autres cas, on pourra avoir recours à un notaire qui se fera un devoir de préparer à votre intention une promesse d'achat adaptée à vos besoins.

### Importance du document

On ne saurait trop insister encore une fois sur l'importance de ce document, car beaucoup de litiges tirent leur origine de promesses d'achat mal rédigées. De plus, rappelez-vous toujours qu'une fois que les deux parties y ont donné leur aval, il ne sera plus possible d'y mettre fin sans que ces deux mêmes parties se mettent d'accord pour l'annuler. Une partie qui ferait défaut à ses obligations découlant de la promesse ou qui refuserait d'y donner suite s'exposerait à des recours judiciaires en dommages-intérêts ou même à une action en passation de titre, laquelle a pour effet de forcer judiciairement les parties à finaliser la transaction convenue.

---

**À NOTER**: Comme on l'a vu précédemment, dans le cas des maisons neuves, le Code civil du Québec crée une exception à la règle en accordant un délai de dix jours au promettant-acheteur pour pouvoir se dédire de sa promesse moyennant habituellement le paiement d'un frais de dédit encadré par le Code civil du Québec, lorsqu'il s'agit d'un constructeur ou d'un promoteur qui vend un immeuble à usage d'habitation à un propriétaire occupant, c'est-à-dire à une personne physique qui compte l'acquérir pour l'occuper elle-même.

---

De telles dispositions n'existent pas pour les autres situations, quoique rien n'empêche un promettant-acheteur d'ajouter à sa promesse une telle faculté de dédit. Cette dernière pourra s'avérer fort utile et pertinente dans les cas où le promettant-acheteur aimerait effectuer certaines vérifications additionnelles avant de conclure la transaction. Par exemple, un délai supplémentaire de cinq jours pourrait lui permettre de faire évaluer la propriété, la faire inspecter, vérifier les documents de la copropriété, faire procéder à l'inspection d'un foyer, à un test d'eau ou à une analyse du système d'épuration lorsqu'il s'agit d'une propriété située en zone rurale.

Lorsqu'on pense à une entente contractuelle entre des parties, l'image du notaire nous vient immédiatement en tête, car c'est le véritable spécialiste des ententes. On ne peut que recommander aux acheteurs de consulter un notaire de leur choix avant d'apposer leur signature à tout type de promesse d'achat. Il serait même sage de le consulter pour la rédaction du document plutôt que de recourir à des formules disponibles sur le marché qui pourraient s'avérer déficientes, même à l'occasion carrément dangereuses.

## Contre-proposition

Le vendeur qui reçoit une promesse d'achat pour sa propriété peut l'accepter, auquel cas la promesse devient bilatérale et on parle alors de promesse d'achat-vente. Cependant, le vendeur peut refuser la promesse parce que certaines conditions ne lui plaisent pas. Il a alors l'option de mettre fin à sa relation avec le promettant-acheteur ou il peut lui transmettre une contre-proposition dans laquelle il fera état des éléments qu'il souhaiterait modifier ou préciser. Encore une fois, le vendeur devra prévoir un délai pour que l'acheteur réponde à la contre-proposition. Ce dernier pourra alors accepter la contre-proposition ou la rejeter sans plus. Alternativement, il pourra soumettre une contre-contre-proposition et ainsi de suite.

## Dispositions usuelles

Vous trouverez ci-après un survol des principales dispositions que l'on rencontre fréquemment dans les promesses d'achat avec, à l'occasion, un commentaire pour en évaluer la pertinence et en justifier l'utilité.

### *Identification des parties*

La promesse d'achat débute par l'identification du promettant-acheteur et du vendeur. D'apparence anodine, cette section du document mérite une attention particulière parce que l'on veut s'assurer que tous ceux qui ont à consentir à une vente éventuelle de la propriété apportent leur accord à l'avant-contrat. Dans certains cas, il se peut fort bien qu'une seule personne apparaisse comme véritable propriétaire alors que dans les faits, il faudra obtenir le consentement de son conjoint marié, soit parce que son régime matrimonial l'exige, soit parce qu'une déclaration de résidence familiale a été publiée contre l'immeuble.

---

**À NOTER** : L'époux propriétaire d'un immeuble de moins de cinq logements, qui sert en tout ou en partie de résidence familiale, ne peut l'aliéner sans le consentement de son conjoint. Si ce dernier a de plus requis l'inscription au registre foncier d'une déclaration de résidence familiale, il pourra demander la nullité de la vente si son conjoint, propriétaire de l'immeuble, a procédé à sa disposition sans son consentement.

Dans le cas d'un immeuble de cinq logements ou plus, le consentement devra être écrit. S'il y a une déclaration de résidence familiale publiée contre un tel immeuble et qu'il y a aliénation par le conjoint propriétaire sans le consentement du bénéficiaire de la déclaration, ce dernier pourra exiger de l'acheteur qu'il lui consente un bail des lieux déjà occupés à des fins d'habitation et ce, aux conditions régissant le bail d'un logement.

---

Quant à l'acheteur, il faudra se demander s'il y a lieu d'inscrire le nom de son conjoint comme copropriétaire indivis, ce qui peut s'avérer souhaitable dans plusieurs cas. Il importe de se rappeler à cet égard que les dispositions relatives au patrimoine familial n'ont pas pour effet d'attribuer au conjoint non propriétaire un droit de propriété dans le bien. Pour ce qui est des conjoints de fait, il est recommandé de procéder à la signature d'une convention d'indivision, particulièrement pour prévoir la solution de litiges éventuels qui pourraient survenir entre les concubins.

Enfin, l'intervention du notaire pourra être fort utile à cette étape, car il sera en mesure d'identifier quelles doivent être les parties contractantes et de contrôler l'identité de ces dernières afin d'éviter toute possibilité de fraude par interposition de personnes.

### *Objet du contrat et description de l'immeuble*

Il est important d'indiquer au document que la transaction envisagée en est une d'achat et de décrire de manière aussi précise que possible l'immeuble qui en est l'objet. Ainsi on indiquera souvent l'adresse de la propriété et les coordonnées cadastrales qui permettent de bien identifier juridiquement la propriété. Cette information peut être tirée du certificat de localisation ou du rôle d'évaluation qui est facilement accessible aux bureaux concernés de la municipalité sur le territoire de laquelle est situé l'immeuble. Quant aux dimensions du terrain, on n'a pas toujours intérêt à les préciser lorsque l'on fait l'acquisition d'un ou de plusieurs lots complets. En cas d'erreur, cela risque d'installer un doute quant à l'objet réel de la transaction d'achat. Par contre, si une superficie minimale pour une reconstruction éventuelle sur le terrain est requise, il serait prudent de s'assurer que les dimensions du terrain sont satisfaisantes. Dans ce cas, l'indication de mesures s'avère pertinente.

Il y a lieu également de préciser les biens meubles qui seront inclus ou exclus. Pour éviter ainsi des débats inutiles au moment de la conclusion de la transaction, il est préférable d'y discuter du sort des luminaires, rideaux, tapis, électroménagers en gardant en tête que tout doit être soigneusement écrit, les ententes verbales étant fort difficiles à prouver en cas de litige. Enfin, il serait opportun d'indiquer également si les biens sont vendus avec ou sans garantie de la part du vendeur.

---

**À NOTER** : Dans le cas des copropriétés divises, il est de mise d'indiquer si la vente comprend des espaces de stationnement ou de rangement et d'en préciser le lieu.

---

### *Prix*

Il devra d'abord être question d'un dépôt. En effet, la pratique veut qu'un promettant-acheteur verse en dépôt entre 1 % et 5 % du prix offert au courtier inscripteur ou, à défaut, au notaire instrumentant, en fidéicommis. Ce dépôt, qui atteste de la bonne foi de l'acheteur, sera appliqué sur le prix de vente payable au vendeur à la conclusion de la transaction. Ce dépôt sera évidemment remis à l'acheteur si la promesse devait être annulée pour une cause légitime.

Ensuite, on précisera si la balance payable au vendeur à la signature de l'acte sera versée comptant par l'acheteur ou si, au contraire, il y a aura assumation de la part de ce dernier d'une hypothèque déjà existante ou si, enfin, un solde de prix de vente demeurera payable au vendeur après la conclusion de la transaction. Bref, il importe d'y préciser quel sera le prix d'achat et comment sera payé le vendeur.

### *Conditions de la promesse*

Cette section tout aussi importante que les précédentes comprendra les différentes conditions qui devront être réalisées après acceptation de la promesse par le vendeur pour que l'on puisse passer à l'étape subséquente, soit la signature de l'acte de vente. Parmi les conditions les plus fréquentes, on retrouvera celle ayant trait au financement qui a pour but de permettre à l'acheteur d'annuler sa promesse s'il lui est impossible de trouver le financement requis, lequel doit évidemment être clairement identifié. De plus en plus, les promesses d'achat de propriétés existantes sont également conditionnelles à une inspection professionnelle par un expert en bâtiment. Cette dernière condition doit toutefois être adéquatement libellée si on souhaite s'assurer d'une protection efficace. Retenez enfin que toute condition doit normalement être assortie d'un délai pour sa réalisation de manière à ne pas paralyser indûment la transaction.

---

**À NOTER** : Dans le cas des copropriétés, il est essentiel que l'acheteur puisse bien connaître le contenu de tout contrat ou règlement qu'il devra respecter. Si le vendeur ne peut procurer ces documents à l'acheteur avant la signature de la promesse, il y aura lieu d'insérer une condition forçant le vendeur à lui en donner communication dans les jours suivant l'acceptation de la promesse.

***Revenus de l'immeuble***
Le cas échéant, on précisera certains détails concernant les baux de logement en vigueur (montant des loyers, échéance, litiges existant devant la Régie du logement). On fera de même pour tout autre contrat de location que l'acheteur devra respecter après la signature du contrat d'achat, comme les contrats de location de chauffe-eau.

***Choix du notaire instrumentant***
La règle veut que ce soit à l'acheteur à choisir le notaire qui présidera à la conclusion de la transaction sauf lorsqu'il subsiste un solde de prix de vente qui demeure payable au vendeur après la conclusion de la vente, auquel cas le choix du notaire instrumentant est généralement laissé au vendeur.

Dans tous les cas, on se rappellera toutefois que le notaire instrumentant un acte de vente ne peut prendre partie pour le vendeur ou pour l'acheteur. Il doit agir en sa qualité d'officier public et être impartial même si sa rémunération est intégralement assumée par l'acheteur.

***Date de signature et prise de possession***
La date prévue pour la signature de l'acte de vente doit être clairement établie. Cette dernière coïncidera normalement avec la date d'ajustement des différents frais qui doivent être répartis entre les parties (taxes foncières, charges de copropriété, loyers, etc.).

Puis il sera question de la date d'occupation, s'il y a lieu, laquelle peut être très rapprochée ou très éloignée de la date de signature. Lorsqu'elle ne coïncide pas avec la date de signature de l'acte de vente, on précisera, lorsque applicable, le montant du loyer que le vendeur devra verser à l'acheteur pour la période où il aura l'occupation d'une partie ou de la totalité de l'immeuble après le transfert du droit de propriété.

---

**À NOTER** : Des dispositions du Code civil du Québec encadrent la reprise de possession d'un logement par le locateur. Un acheteur qui veut se porter acquéreur d'un immeuble entièrement loué pour en occuper ultérieurement une partie aurait donc intérêt à connaître ces règles qui prévoient essentiellement :

- Que le propriétaire d'un logement peut le reprendre pour l'habiter ou y loger ses parents ou ses enfants au premier degré ou tout autre parent ou allié dont il est le principal soutien. Il peut aussi le reprendre pour y loger son conjoint dont il est séparé ou divorcé mais pour lequel il demeure le principal soutien.
- Que le propriétaire d'une part indivise d'un immeuble ne peut reprendre aucun logement s'y trouvant, à moins qu'il n'y ait qu'un seul autre propriétaire et que ce dernier soit son conjoint marié, uni civilement ou de fait.
- Que le propriétaire ne peut sans le consentement du locataire se prévaloir du droit à la reprise lorsqu'il est propriétaire d'un autre logement vacant du même genre que celui occupé par le

locataire, situé dans les environs et d'un loyer équivalent.

- Que le propriétaire doit payer au locataire évincé une indemnité de trois mois de loyer ainsi que des frais raisonnables de déménagement.

---

### *Délais et signature*

La promesse contient des dispositions relatives au délai d'acceptation à l'intérieur duquel le vendeur devra manifester son engagement, s'il y a lieu, et se termine avec la signature du promettant-acheteur. Bien qu'il soit souhaitable d'obtenir la signature d'un témoin, il ne s'agit pas là d'une condition de validité du contrat. Enfin, précisons que le promettant-acheteur ne peut retirer sa promesse d'achat pendant le délai d'acceptation.

## CONCLUSION DE L'ACHAT

Une fois que la promesse d'achat a été acceptée par toutes les parties et que les conditions ont été réalisées, on doit tout mettre en œuvre pour que les parties puissent en arriver ultimement à la conclusion de la transaction.

**Étapes à respecter**

On peut décrire succinctement ces étapes comme suit :

- Remise du dossier du vendeur au notaire instrumentant. Les documents qui lui seront transmis pour examen et pour qu'il puisse préparer l'acte de vente et les ajustements comprennent les titres de propriété, les baux, le certificat de localisation, une copie de la promesse d'achat, une copie de la déclaration de copropriété et un état des charges de cette dernière, les comptes de taxes foncières les plus récents et tout autre document jugé pertinent.
- Le notaire procédera à un examen des titres de propriété pour détecter les charges susceptibles d'affecter le droit de propriété transmis. Il vérifiera le certificat de localisation et, au besoin, verra à apporter les correctifs qui s'imposent.
- Préparation des actes de prêt hypothécaire, acte de vente, acte de quittance et autres documents notariés ou sous seing privé requis pour la conclusion de la transaction.
- Réception des parties et de leurs représentants, s'il y a lieu, pour la lecture de l'acte de vente et la réception des signatures.

- Publication de tous les actes signés par les parties au bureau de la publicité des droits et remise du produit de la vente au vendeur une fois que le notaire a la certitude qu'aucune entrée adverse ne peut venir affecter le titre de propriété de l'acheteur.

## Garanties

Les garanties qui subsistent après la signature de l'acte de vente et qu'il importe de connaître sont les garanties ayant trait aux défauts cachés et celles visant à protéger les acheteurs d'une maison neuve.

### *Garantie des vices cachés*

Le vendeur est responsable des défauts cachés qui rendent la propriété impropre à l'usage auquel on la destine ou qui diminuent tellement son utilité que l'acheteur n'aurait pas acheté la propriété s'il les avait connus. Précisons que le vendeur n'est pas garant des autres défauts qu'on qualifie d'apparents et qu'un acheteur dit « prudent et diligent » aurait dû constater lors d'une visite attentive de la propriété.

Lorsque l'acheteur est en mesure de prouver que le vendeur connaissait le défaut caché ou ne pouvait l'ignorer, il peut réclamer, outre la restitution du prix de vente, des dommages-intérêts pour les inconvénients supportés.

### *Garantie des maisons neuves*

Afin de mieux pouvoir profiter de cette garantie, l'acheteur d'une maison neuve s'assurera que l'entrepreneur est bien accrédité à la garantie des immeubles résidentiels de l'Association provinciale des constructeurs d'habitation du Québec (APCHQ).

Le plan de garantie suivant instauré en 1999 vaut pour les résidences individuelles, les maisons à revenus de cinq logements ou moins, les maisons usinées et les condominiums de moins de quatre étages.

Cette garantie prévoit notamment une protection des acomptes versés jusqu'à concurrence de 30 000 $ et une indemnité de relogement, de déménagement et d'entreposage des biens à la suite d'un retard de livraison pouvant aller jusqu'à 5 000 $. La garantie assure aussi :

a) Le parachèvement des travaux dénoncés par écrit.
b) La réparation des malfaçons non apparentes découvertes dans l'année suivant la réception de la maison.
c) La réparation des vices cachés découverts durant les trois années suivant la réception.
d) La réparation des vices majeurs de sol, de conception, de construction ou de réalisation durant les cinq années suivant la fin des travaux.

Pour ce qui est des copropriétés de construction incombustible de cinq unités superposées ou plus, des maisons à revenus de six logements ou plus et des bâtiments existants transformés en copropriété, la protection se résume à ce qui suit :

a) Une protection des acomptes jusqu'à 30 000 $.
b) Le parachèvement des travaux prévus au contrat original relativement aux parties privatives et les réparations des malfaçons apparentes, à la condition que les travaux soient inscrits à l'attestation de parachèvement.

c) Une garantie d'un an contre les malfaçons cachées originant des parties privatives et de deux ans pour les parties communes.
d) Une garantie de cinq ans pour les vices de construction.

Pour le parachèvement des travaux ainsi que la réparation des malfaçons et des vices, le programme offre une garantie pouvant aller jusqu'à :

- 200 000 $ pour une propriété unifamiliale ;
- 100 000 $ par logement pour une propriété à revenus (jusqu'à concurrence d'un maximum de 1 500 000 $) ;
- 100 000 $ par partie privative d'un condominium jusqu'à concurrence d'un maximum de 200 000 $.

---

**À NOTER** : Il est essentiel que vous présentiez toute réclamation aux termes du plan à l'intérieur des délais et au plus tard six mois après la découverte du problème.

---

La garantie est transférable, tant qu'elle est en vigueur, à un acheteur subséquent. La garantie de cinq ans contre les vices de construction peut être prolongée pour une période additionnelle de cinq ans, à la condition qu'une demande à cet effet soit présentée au cours des deux premières années suivant la date de réception de la propriété.

### *Fonds d'indemnisation du courtage immobilier*

Le gouvernement québécois a constitué en 1985 un fonds financé par les courtiers et agents immobiliers, afin d'indemniser jusqu'à concurrence d'une somme maximale de 15 000 $ par transaction les victimes d'une fraude, d'une opération malhonnête ou d'un détournement de fonds dans le cadre d'opérations immobilières d'achat ou de location réalisées par l'intermédiaire d'un membre en règle de l'Association des courtiers et agents immobiliers du Québec (ACAIQ).

## TABLEAU DES PÉRIODICITÉS DES PRÊTS HYPOTHÉCAIRES

| Taux d'intérêt | Paiements mensuels par 1 000 $ | | Paiements hebdomadaires par 1 000 $ | |
|---|---|---|---|---|
| | 20 ans | 25 ans | 20 ans | 25 ans |
| 3,00 % | 5,54 $ | 4,74 $ | 1,28 $ | 1,09 $ |
| 3,25 % | 5,67 $ | 4,87 $ | 1,31 $ | 1,12 $ |
| 3,50 % | 5,79 $ | 5,00 $ | 1,34 $ | 1,15 $ |
| 3,75 % | 5,92 $ | 5,13 $ | 1,37 $ | 1,18 $ |
| 4,00 % | 6,05 $ | 5,27 $ | 1,40 $ | 1,22 $ |
| 4,25 % | 6,18 $ | 5,40 $ | 1,43 $ | 1,25 $ |
| 4,50 % | 6,31 $ | 5,54 $ | 1,46 $ | 1,28 $ |
| 4,75 % | 6,44 $ | 5,68 $ | 1,49 $ | 1,31 $ |
| 5,00 % | 6,58 $ | 5,82 $ | 1,52 $ | 1,34 $ |
| 5,25 % | 6,71 $ | 5,96 $ | 1,55 $ | 1,38 $ |
| 5,50 % | 6,85 $ | 6,11 $ | 1,58 $ | 1,41 $ |
| 5,75 % | 6,99 $ | 6,26 $ | 1,61 $ | 1,44 $ |
| 6,00 % | 7,13 $ | 6,40 $ | 1,65 $ | 1,48 $ |
| 6,25 % | 7,27 $ | 6,55 $ | 1,68 $ | 1,51 $ |
| 6,50 % | 7,41 $ | 6,70 $ | 1,71 $ | 1,55 $ |
| 6,75 % | 7,55 $ | 6,86 $ | 1,74 $ | 1,58 $ |
| 7,00 % | 7,70 $ | 7,01 $ | 1,78 $ | 1,62 $ |
| 7,25 % | 7,84 $ | 7,16 $ | 1,81 $ | 1,65 $ |
| 7,50 % | 7,99 $ | 7,32 $ | 1,84 $ | 1,69 $ |
| 7,75 % | 8,14 $ | 7,48 $ | 1,88 $ | 1,73 $ |
| 8,00 % | 8,29 $ | 7,64 $ | 1,91 $ | 1,76 $ |
| 8,25 % | 8,44 $ | 7,80 $ | 1,95 $ | 1,80 $ |
| 8,50 % | 8,59 $ | 7,96 $ | 1,98 $ | 1,82 $ |

## RÉPERTOIRE DES RESSOURCES

### AGENCE DE LA CONSOMMATION EN MATIÈRE FINANCIÈRE DU CANADA

427, avenue Laurier Ouest, 6e étage
Ottawa, Ontario K1R 1B9
Site Web : www.acfc-fcac.gc.ca
Téléphone : 1-866-461-2232
Télécopieur : 1-866-814-2224

### AGENCE DU REVENU DU CANADA (ARC)

305, boulevard René-Lévesque Ouest
Montréal (Québec) H2Z 1A6
Site Web : www.cra-arc.gc.ca
Téléphone : 1-800-959-7383
Télécopieur : 514-496-1309

### ASSOCIATION DES COURTIERS ET AGENTS IMMOBILIERS DU QUÉBEC (ACAIQ)

6300, rue Auteuil, bureau 300
Brossard (Québec) J4Z 3P2
Site Web : www.acaiq.com
Téléphone : 1-800-440-5110
Télécopieur : 450-676-7801

### ASSOCIATION DES INSPECTEURS EN BÂTIMENTS DU QUÉBEC

7777, rue Louis-H.-Lafontaine, bureau 005
Anjou (Québec) H1K 4E4
Site Web : www.aibq.qc.ca
Téléphone : 514 703-2315
Télécopieur : 514-355-8248

## ASSOCIATION PROVINCIALE DES CONSTRUCTEURS D'HABITATION DU QUÉBEC (APCHQ)

5930, boulevard Louis-H.-Lafontaine
Montréal (Québec) H1M 1S7
Site Web : www.apchq.com
Téléphone : 1 800-468-8160
Télécopieur : 514-353-4825

## AUTORITÉ DES MARCHÉS FINANCIERS

800, Square Victoria, 22e étage
Tour de la Bourse, C.P. 246
Montréal (Québec) H4Z 1G3
Site Web : www.lautorite.qc.ca
Téléphone : 1-877-525-0337
Télécopieur : 514-496-1309

## BUREAU D'ASSURANCE DU CANADA

500, rue Sherbrooke Ouest, bureau 600
Montréal (Québec) H3A 3C6
Site Web : www.bac-quebec.qc.ca
Téléphone : 1-800-361-5131
Télécopieur : 514-288-0753

## CHAMBRE DES NOTAIRES DU QUÉBEC

800, Square Victoria, bureau 700
Tour de la Bourse
Montréal (Québec) H4Z 1L8
Site Web : www.cdnq.org
Téléphone : 1-800-668-2473
Télécopieur : 514-879-1923

## FONDS D'INDEMNISATION DU COURTAGE IMMOBILIER

6300, rue Auteuil, bureau 300
Brossard (Québec) J4Z 3P2
Site Web : www.indemnisation.org
Téléphone : 1-800-440-5110
Télécopieur : 450-676-7801

## ORDRE DES ARPENTEURS-GÉOMÈTRES DU QUÉBEC

Iberville Quatre
2954, boulevard Laurier, bureau 350
Sainte-Foy (Québec) G1V 4T2
Site Web : www.oagq.qc.ca
Téléphone : 418-656-0730
Télécopieur : 418-656-6352

## ORDRE DES ÉVALUATEURS AGRÉÉS DU QUÉBEC

2075, rue University, bureau 1200
Montréal (Québec) H3A 2L1
Site Web : www.oeaq.qc.ca
Téléphone : 1-800-982-5387
Télécopieur : 514-281-0120

## ORDRE PROFESSIONNEL DES INGÉNIEURS DU QUÉBEC

Gare Windsor, bureau 350
1100, rue de la Gauchetière Ouest
Montréal (Québec) H3B 2S2
Site Web : www.oiq.qc.ca
Téléphone : 1-800-461-6141
Télécopieur : 514-845-1833

## ORDRE DES TECHNOLOGUES PROFESSIONNELS DU QUÉBEC

1265, rue Berri, bureau 720
Montréal (Québec) H2L 4X4
Site Web : www.otpq.qc.ca
Téléphone : 1-800-561-3459
Télécopieur : 514-845-3643

## RÉGIE DU BÂTIMENT DU QUÉBEC

545, boulevard Crémazie Est, 4e étage
Montréal (Québec) H2M 2V2
Site Web : www.rbq.gouv.qc.ca
Téléphone : 1-800-361-0761
Télécopieur : 514-864-2903

## RÉSEAU DES COURTIERS IMMOBILIERS INDÉPENDANTS DU QUÉBEC

7785, chemin de Chambly
Saint-Hubert (Québec) J3Y 5K2
Site Web : www.rciiq.com
Téléphone : 1-877-676-0466
Télécopieur : 450-676-6687

## SOCIÉTÉ CANADIENNE D'HYPOTHÈQUES ET DE LOGEMENT (SCHL)

1100, boulevard René-Lévesque Ouest, 1er étage
Montréal (Québec) H3B 5J7
Site Web : www.schl.ca
Téléphone : 514-282-2222
Télécopieur : 514-283-0860

## SITES IMMOBILIERS

Achat et vente de maisons
www.annonceduproprio.com
www.avendreduproprio.com
www.clicmaison2000.com
www.duproprio.com
www.goommo.com
www.goproprio.com
www.immoreference.com
www.maisondirect.ca
www.mamaison3d.com
www.micasa.ca
www.parleproprio.com
www.proprioquebec.com
www.pourvendre.ca
www.propriodirect.com
www.propriomax.com
www.proprionet.ca
www.sia.ca
www.youppy.com

Courtage hypothécaire
www.clubpret.com
vww.invis.ca
www.multi-prets.com

Garantie des maisons neuves
www.gomaison.com